無毒有我

遠離毒禍，天寬地闊

經典

目次

推薦序

看清毒品真相

反毒生命故事．之一

從心防治，遠離荼毒

反毒生命故事・之二

推薦序

有我無毒的時代使命

慈濟大學校長、小兒科教授　王本榮

九十八年五月十五日，林仁混院士與蕭水銀教授這對醫學科學界人人稱羨的「神雕俠侶」，夫唱婦隨地蒞臨慈濟大學演講，會中林院士神采飛揚，高論著「茶」的科學研析及對人體的俾益，會後蕭教授神情肅穆，低嘆著「毒」對身心與社會的戕害，這樣一個「茶」與「毒」的因緣，頓時使我陷入歷史的沈思。

英國在工業革命後，經濟如日中天，喝茶蔚成文化，向中國進口紅茶花費了太多白銀，為了彌補國庫的缺口，先從印度進口棉花製成棉布回銷印度，再從印度製造毒品運銷中國，導致了西元一八四〇年的鴉片戰爭。

而讓我無比驚駭的是一個難以想像的數字，臺灣現在近六萬受刑人之中，竟有接近一半是煙毒直接或相關個案，相應著接踵而來的社會事件，演藝界的「大咖」與企業界的「小開」都相繼因為涉毒而被捕，日本玉女紅星酒井法子與其丈夫也在毒海滅頂。光鮮亮麗的舞臺，競逐激烈的職場，酒醉金迷的上流社會尚且如此，更不知在社會的底層，年少輕狂的青少年，有多少因毒而沉淪的靈魂？有多少因毒而破碎的天倫？有多少因毒而衍生的犯罪？

蕭教授期待聞聲救苦，利濟眾生的慈濟廣大志工網路，在這個攸關國家、社會、家庭以及個人的重大命題上貢獻心力。我在震動與感動之餘，迅速與慈濟教育志業發展處的陳乃裕師兄討論，如何有效動員及培訓慈濟教聯會的志工老師與大愛媽媽們成為反毒的種子老師，深入校園及社區，宣導毒害的可怕及從生活教育中防治青少年吸毒。教育演講及因應不同年齡層防毒教材的編纂無疑是首要工作，這是「無毒有我」活動的緣起。毒既然是一種致命的吸引力，我們要大力宣導只有「無毒」才會「有我」，也期許每一個人「有我」的承擔與努力，創下「無毒」的天地，「無毒有我」是捨我其誰的使命。

今日的臺灣，已邁入高齡化、少子化的「不生不滅」時代，年輕人的壓力與責任將日益沉重。若我們的下一代不能成為「勇於承擔」的時代青年，而是「成為負擔」的毒蟲敗類，來迎接二十一世紀的嚴苛衝擊與挑戰，伊於胡底的結局將不問可知，也不由得我們會不寒而慄。上醫醫未病，善戰者無赫赫之功，如果說鴉片戰爭是一場烽火瀰漫的銷煙戰爭，「無毒有我」則是一場沒有硝煙的消煙運動，也是一場沒有光環的教育宣導。本書如實地記錄這場殊勝因緣背後所滙集的無量行願，大家共同的心念是祈願臺灣是一個清淨無毒的祥和社會。感恩證嚴上人及慈濟基金會的大力護持；慈濟教聯會老師及大愛媽媽出錢出力，無怨無悔地投入付出；大愛臺兩部真人真事、感人肺腑的戒毒成功影片，加上本尊的現身說法，發揮深入人心、無遠弗屆的效果。也要感謝蕭水銀教授及所有學者專家的指導與參與，企業界（昇恒昌、柏泰園、燦坤、華中、林仲鋆文教基金會）的贊助，公部門包括法務部、教育部、內政部、國防部、衛生署及各級縣、市政府長官及同仁們的全力支持。「無毒有我」活動自九十八年十一月開始啟動，由於各界的全力護持及合作，從種子老師培訓、教材研習、學校及社區教育宣導，以至二部影片《逆子》及《破浪而出》特映會及影後與談，十六個月以來，已超過二千場活動，直接參與活動人數超過三十二萬人，而這樣的數字還在日日更新之中。本書的出版不是「無毒有我」活動的結案，而是「有我無毒」活動另一階段的開始，在這場永無休止的反毒戰爭中，我們沒有悲觀的權利，也沒有放棄的本錢，只有持續善的共振，加速愛的循環，我們才會有美好的明天。

推薦序

重建「無毒、健康、安全」的優質學習環境與家園

教育部部長　吳清基

近年新興毒品層出不窮，施用毒品之年齡層有呈現向下蔓延之趨勢，加上演藝人員等知名公眾人物屢屢因吸毒登上新聞版面，使防制毒品議題成為社會各界共同關注的課題。為期青年學子能健康成長，避免毒品的危害，教育部近年來積極推動防制學生藥物濫用工作，並建立三級預防機制，透過教育宣導、清查輔導、矯正戒治等三階段作為，及早發現藥物濫用的青年學子，給予積極輔導與協助，防制毒品的危害。

鑒於政府資源有限，各地宗教團體主動積極參與藥物濫用戒除的工作，可敬可佩，如佛教的「淨化基金會」、基督教的「晨曦會」及「主愛

之家」等，均長期投入毒癮戒除服務，辦理多元的社區反毒教育宣導及教材製作等工作，並邀請戒毒成功人士現身說法，提供成癮者戒癮諮詢服務，對強化家庭、社區拒毒觀念及戒毒服務工作著實貢獻良多。此次佛教慈濟慈善基金會稟持著證嚴上人廣度眾生的願力，為提升反毒教育宣導成效，特地尋覓更生人戒毒成功的真實故事，與法務部合作攝製《逆子》、《破浪而出》等二部反毒宣導影片，其內容深具反毒教化人心的意義，我本人在觀看之餘，也不禁為這樣坎坷的毒海沉浮而感傷到淚流不止。

《破浪而出》一片將蔡天勝先生真實人生中沉淪毒海、反覆入監的生涯，透過戲劇方式一一呈現，其中煙毒犯內心煎熬、深陷無間地獄無法自拔的痛苦，摧毀人生美好的年代，再再顯示出毒害的高昂代價。但蔡先生透過閱讀慈濟刊物與自我反省的力量，終於找回了自我，更拉著其他兄弟們一起衝出毒海《破浪而出》，發人深省。

而《逆子》則是黃瑞芳先生真人真事改編而成，劇中告白「一個吸毒的人，如果沒有決心把毒戒掉，想要重新做人也只是說說而已……」，這種深受毒害之苦，歷經與家人的生離死別後，因緣際會得到社會的幫助與寬恕，展開了新生，也讓自始至終關愛疼惜他的母親，能得到一個歷劫歸來，重生的兒子。母愛的偉大，與社會的寬恕，讓他從沉淪毒海的人生中走出來，透過戲劇的方式呈現，除勉勵戒毒者外，也懇求社會大眾能夠伸出援手，幫助他們戒除藥癮。

慈濟大學自九十九年六月起與教育部、法務部等機關單位，合作於全國各地辦理「無毒有我」種子師資培訓研習活動、教材研習活動、「無毒有我」特映會與影後與談，深入社區、學校推廣，總計辦理二千餘場次活動、互動人數三十二萬餘人，成效非常卓著，更帶動校園加強重視反毒教育的風氣。

影片播放結束後，戲中的主角蔡天勝及林朝清也多次到場參與座談，並以自身經驗現身說法。蔡天勝強調，過去的他，雖然聰明但是不切實際，一心想要一飛衝天，因此先是賭博，而後又受誘惑接觸毒品，甚至販毒被判無期徒刑。後來在獄中懺悔學佛，並與慈濟聯繫，出獄後即加入慈濟志工從事資源回收等工作，現在不僅開起素食店自立更生，也加入慈濟輔導更生人的行列，以自身經驗不斷給更生人協助。

本次反毒宣導影片教育部共獲贈四千兩百六十六片，分發至各級學校推廣運用，學校教師可參考隨附之導讀說明進行教學運用，使青年學子能深刻體認藥物濫用對於身心的威脅，進而以積極樂觀的態度拒絕毒品、遠離危害。教育部也期望在社區、家長、檢警、專業輔導及醫療機構的積極合作下，持續落實防制學生藥物濫用工作，防止毒品戕害校園學子，建構健康無毒的清新校園。

也期盼學校能充分推廣運用《破浪而出》及《逆子》兩部反毒影片，讓學生瞭解毒品是百害無一利的東西，更要將毒害一生的信念深植校園各角落。教育應從生命教育、全民教育、法治教育引導深入，讓學生知道施用毒品是違法的行為，同時讓學生知道生命教育，珍惜自己的生命，不能自毀前程，並要善用自己的性向、興趣及能力去做璀璨人生的規畫，而對於那些迷失在毒品的學生，要相信他們有再生的能力，不要孤立放棄他們，更給他們愛與關懷，適時適切給予正確的管道，讓他們不放棄正面向上提升的力量，協助他們走出陰霾，重建「無毒、健康、安全」的優質學習環境與家園。

推薦序

慈濟反毒實錄

法務部部長　曾勇夫

「毒品」！往往是紛亂社會與生命價值的燎原火種，它伴隨著各種不同的美麗藉口，猶如地獄之火，不分國界、種族，不斷地延燒、宰制人心與意志。目前全球每年因濫用毒品致死的案例不計其數，而更多的人因為吸毒喪失生活能力，更遑論透過販毒與吸毒所誘發的各種犯罪。

法務部為了反制毒品犯罪，不論在緝毒、拒毒或防毒、戒毒工作上，一向不遺餘力，尤其是為了提高國人對毒品的認識，九十九年有幸與慈濟大學合力推出《逆子》與《破浪而出》二部由真人實事改編的戒毒影集，並透過各地檢署、監所、毒危中心、學校的共同努力，舉辦數千場特映會與研習會，目的就是希望透過柔性訴求，讓社會各層面，尤其是年輕朋友與在學的孩子們，充分瞭解毒品是如何毀滅個人與家庭，期能弭患於未然。

從影片以及觀眾的反映，我們發現吸毒者能戒毒成功之關鍵，包括「自己意願、家人不棄、遠離惡緣、貴人陪伴、要有工作」五大要素，首先個案要有決心，而個案之決心又來自其生命當中有無關愛他、重視他、永遠等他回頭的人。二片劇中的主人翁因為家人的愛讓他下定決心改變，可是戒毒的路很漫長、艱辛，在來來回回、反反覆覆的戒毒過程中，支撐他改變的家庭力量能否持續，成為關鍵。惟有給家庭力量，家庭才能有能量支持毒癮者在戒毒路上繼續努力，所以，法務部推動的「家庭支持方案」就是希望社會各界能給予犯罪者家庭外部支持的力量。另一戒毒成功的支柱則是善的環境，即「貴人」相助，二部影片的主角都是因為出獄後到慈濟環保站做志工，在眾多慈濟志工陪同下，才漸漸擺脫毒品的誘惑，這就是個善緣，所以法務部發展「陪伴型志工」，用意亦即在此。

五十五年證嚴上人於臺灣花蓮，以克己、克勤、克儉、克難的精神創立慈濟功德會，四十六年來，慈濟的志業，從偏遠的花蓮一隅開展至全球五大洲，慈濟人以「人傷我痛，人苦我悲」的人文情懷，超越種族、國家、語言、膚色、宗教信仰的界限，在此人生價值觀模糊不清的紛亂時代，其所樹立的「大愛」精神，已成為一種難得的普世價值。法務部藉由反毒教育的機會，與慈濟結緣，也直接見證了慈濟人「大愛」、「大勇」的菩薩聞聲救苦精神與行動力，希望藉由這個活動的推廣，讓社會大眾能更清楚瞭解毒品問題，能更理解吸毒者身心的痛苦，進而接納並引導他們向善，成為他們生命中掙脫毒害的明燈與貴人。

看清毒品真相

解開毒源的密碼——毒品緣起與發展

陳美玲（心昀）

談到毒品，人人聞之色變，總與家毀人亡、社會犯罪等負面形象聯想在一起。

姚雲鵬等著《大橋旅館的煙鬼》書中收錄一段民間藝人膾炙人口的數來寶，曲詞裡慨嘆一旦染上毒品，文人雅士都會改做樑上君子：「一棵煙槍懷裡抱，噴雲吐霧樂逍遙——只要能過癮，怎好就怎好。沒錢去扎抽，想法去偷盜，失主緊緊追，小偷嗷嗷叫。偷點兒破爛換嗎啡，白面書生吸兩口，眼睛發亮伸懶腰……」問世於民國十三年（一九二四）的禁煙歌，描寫染毒者總是：「大癮把家敗，小癮一身債，房廊并屋宇——都賣。……化解他不聽，一心把煙熏，死在葫蘆裡——甘心。」近年甘肅天水地區流傳這樣一首歌謠，諷刺毒癮者六親不認、生命失去尊嚴如倒懸：

面黃肌瘦精神少，有病了；
身上穿件破爛襖，底丟了；
不論乾溼就睡倒，癮發了；
妻室兒女哭號啕，不管了；
父母無病逝故早，氣死了；
不完錢糧不納草，地賣了；
赤身露體到處跑，拆光了；
日竊夜盜人人惱，不遠了；
走在野地尸難找，狗吃了。

李曉飛先生在《近代中國煙毒寫真》書中用五字來形容接觸毒品後的人生：「引、隱、癮、陰、尹」，意思是，先受人「引」誘而吸食；接觸後，怕被人發現，「隱」蔽偷吸；吸久成「癮」不能自拔，傾家蕩產在所不惜，最後魂歸「陰」間；身體早因吸食毒品而乾癟如枯稿，體重輕得被人一根杠子即能將尸體抬出（尹拆字為：一尸），可謂吸毒者一生最真實的寫照。

在一百年（二〇一一）五月底假於中正大學舉辦的「第一屆亞太藥物濫用與防制國際研討會」會議上，楊士隆教授沉重地表示，台灣第一次嘗試毒品年齡以二十歲以下者居多，反映使用毒品低齡化現象。然而，毒品價格昂貴，吸毒者為取得買毒品的經濟來源，或販毒、或偷搶他人財物，甚至紅了眼奪人性命，女性吸毒者還會變成「糖果妹」，以性換藥，價值觀偏頗，倫理道德淪喪，製造犯罪事件，影響社會甚深。

儘管人人都知道毒品不可碰觸，但對吸毒者來說，毒品卻是不可或缺的甘露涼泉。「問世間『毒』為何物？只叫人生死相許！」究竟毒品是什麼？源自何時？何以發揮如此大的魅力，製造社會動盪不安？就讓我們一同解開毒源的密碼。

壹、毒與毒品之間

有關「毒」字意思，自古至今有多種解釋，其本義見於東漢許慎《說文解字》所述：「毒，厚也；害人之草，往往而生。」意思是「毒草滋生」，爾後從此延申為傷害、凶狠、禍患、苦痛、罪惡等義。

至於毒品，就廣義來說，是毒草提煉出來的物質。根據植物學家們的研究與分類，在全世界二十五萬種植物中，有數千種含有對人類體質有害的毒素，但並非所有的有毒植物對人們都會構成重大威脅。現今國內外對毒品的界定為，類如罌粟（鴉片）、古柯、大麻及其衍生物以及其他用人工化學合成的、被非法濫用的、能夠使人形成癮癖的物質，即為毒品。因其一旦接觸即不易戒除，長期使用會對呼吸系統、消化系統、中樞系統和新陳代謝等造成嚴重傷害，直到死亡。

誠然吸食毒品危害人們身心靈健康，但這些毒品在醫學上則有止痛、收斂、麻醉等功效。曾掀起國際戰爭的鴉片，被用來治療頭痛、咳嗽、胃痛、腹瀉；從鴉片提煉出的嗎啡，是極有效的鎮靜劑與麻醉劑，普遍為醫師手術時所採用；至於古柯鹼則可以讓血管收縮、心律減緩，是耳鼻喉科上的合法藥物，也常在手術時被用來控制出血量；在大麻系列毒品中，從大麻的花與葉經晒乾後製成的瑪利華納（Marijuana），會讓吸毒者吸食後產生安適、舒緩與寧靜的感覺，在醫療上則是癌症化療時控制嘔吐的良方，還能減輕眼壓過高的症狀，用於治療青光眼，也曾用來治療哮喘、癲癇、抑鬱症等疾。

客觀地說，毒品並非一無可取，只要用對地方、用量得當，也有它正面價值。

貳、毒品的起源與發展

現今被法定為毒品的原始素材，是生長於各地的植物，最初因應人類生活所需被栽植，常被用於治療疾病、養生等；爾後人們有了吸煙草的行為和習慣，一旦吸食這些具成癮性的毒草，上癮後往往不可自拔。不肖者看到毒品經濟帶來的商機，不斷開發提煉新品，以天價販售，讓吸毒者為解毒癮不擇手段，甚至徘徊犯罪邊緣，成了社會一大隱憂。

一、初民生活中的藥劑師

在醫學、科學不發達的遠古時期，人們生活所需均取之於大自然，倘若遇到疾病，即會向大自然求救。中國漢族首部史詩《黑暗傳》裡，記載神農氏為了尋找可以食用的食物和草藥，以進行人工種植，冒著中毒危險，嘗了無數種花草果實，被譽為中國的藥王菩薩。

在世界其他地方，初民為求生存，同樣會在生病時，從生活環境可觸及的大自然產物中，尋找解藥。而今日我們所稱的毒品，在當時實為初民生活中的藥劑師。

（一）古印第安人的聖草——古柯

就目前文獻資料所見，生長於南美洲安第斯山脈中北部的古柯（拉丁學名Erythroxylon coca），又名高根、高卡或古加，早在五千多年前，即出現在厄爾瓜多一帶，是熱帶叢林中的一種灌木植物，為西半球地區最早被人們栽植的作物之一。

古柯的根系發達，生命力強，古柯葉中具有刺激精神的主要生物鹼成份——古柯鹼，可以提神醒腦、消除疲勞、增加力氣、禦寒、治療風溼、頭痛、胃痙攣等疾病外，還能減輕高山症的不適，所以被土著居民——古印第安人奉為「聖草」。當時他們已懂得把古柯鹼和石灰、植物灰或貝殼灰等混合後咀嚼，減低其苦味，也被用作祈神儀式使用的配方。但早期僅有王公貴族具特權食用，直到十六世紀以後才平民化。

（二）古埃及的神花——罌粟鴉片

從罌粟汁液提煉出來的鴉片，是近幾世紀以來散播、影響最大的毒品，又稱大煙、阿片等，希臘文字源Opion，意指罌粟汁。

罌粟（拉丁文：Papaver somniferum L），又稱米囊、波畢、罌子粟、阿芙蓉、御米、象谷、囊子、鶯粟，是很美麗的花朵，有紅、粉、紫、白等色的花瓣，生命力強，幾乎北半球溫帶與亞熱帶地區均見種植。其花瓣落下來後會露出一個球形的果實，果實未成熟時，用刀將表皮劃破，即會流出乳白色漿液，凝固後變成深褐色，這即是生鴉片。生鴉片的味道強烈，類似氨或尿味，一般人不會直接吸食，而是經燒煮發酵成熟鴉片，熟鴉片吸食時則有香甜氣味。

在古埃及圖騰信仰裡，罌粟被尊為「神花」。古希臘人為了表示對罌粟的讚美，曾讓執掌農業的司谷女神手拿一枝罌粟花。古希臘神話中也流傳著罌粟的故事：有一個統管死亡的魔鬼之神叫做許普諾斯，其兒子瑪非斯手裡拿著罌粟果，守護著酣睡的父親，以免他被驚醒。它是《聖經》裡的「忘憂藥」，連上帝都曾使用它；它也是古希臘詩人荷馬陶醉的「忘憂草」，古羅馬詩人維吉爾眼中的「催眠藥」。種種神話傳說，反映罌粟在初民心目中具有崇高地位。

經考古學家探察，發掘到瑞士在西元前四千年新石器屋村遺址中已有「鴉片罌粟」種子和果實的遺跡；《埃伯斯紙草文稿》中也提到，當時蘇美人已經知道並使用罌粟這種植物；至西元前三千四百年，伊拉克兩河流域一帶居民大量栽植罌粟花，並替它取名為「快樂植物」；約在西元前二千年時，其被用為獸醫和婦科的藥品；至西元前一千五百年，它出現於古埃及墓葬品中，「底比斯鴉片」已是高級品牌。

到了西元前兩世紀，希臘名醫加倫研就發現，鴉片能治療痳瘋病、脾硬化、泌尿、黃疸等疾病；從西元一世紀羅馬皇帝御醫狄奥斯克里蒂斯（Dioscorides Pedanius，希臘人）編著的《藥物論》（一譯為《希臘本草》）裡得知，時人已懂得從切開罌粟頭部、取其中汁液製作鴉片。

對阿拉伯而言，鴉片是很重要的藥材。根據曾到印度取經的唐三藏法師所翻譯的《毗耐耶雜事略．第十卷》所述：「有病者聽吸煙，佛言以兩碗相合，底上穿孔，中著火，置藥，以鐵管長十二指，置孔吸之。」得知約於西元七世紀時，印度已有用鴉片治病的記載，當時王城患疾病者，大佛指點吸鴉片可以救治，還詳盡介紹吸食方法。

（三）多功能的高價值作物——大麻

產於亞洲中部的大麻，又稱草根、壺、水手釦、海草，是一種叫做印度麻植物（Cannabis sativa），這種植物含有能夠改變意識狀態的化學物質，稱做delta-9 tetrahydrocannabinol 或THC。

六千多年前，大麻在中國已見大量種植，是高價值的作物，除了能萃取藥物，還可提煉成食用油，以及大麻纖維來製作繩索、魚網等。《詩經．王風》篇寫著：「丘中有麻」；爾後呂不韋在《呂氏春秋》載六種穀物——禾、黍、稻、麻、菽、麥；到晉人陶潛〈歸園田居〉：「我麻日已長，我土日已廣」；與唐代孟浩然〈過故人莊〉：「故人具雞黍，邀我至田家……開軒面場圃，把酒話桑麻」等描繪田園風光詩作中可知，大麻是中國人重要且普遍的傳統作物之一。至於國人使用大麻紀錄，最早可追溯至西元前二七三七年的神農帝時代，除了用來製作衣服，大麻的乾燥種子即是當時藥典中的「火麻仁」，火麻仁可以潤燥、滑腸、通淋、活血，能夠治療腸燥便秘、痢疾、消渴等症狀，是一種極為古老的藥材。至西元二二〇年，神醫華陀將大麻樹脂與酒混合製成「麻沸散」，做為外科手術的麻醉劑，開啟中國外科手術麻醉的先例。

大麻中具刺激精神的成份，備受重視，其中又以印度為最。早在西元前二〇〇〇—一四〇〇年間的印度古籍《阿達婆吠陀》（Atharva Veda）中即有大麻藥（bhang）的記載。研究印度神話的坎貝爾・歐曼（J. Campbel Oman）曾指出，大麻是教徒崇拜的信仰物，幾乎所有的僧侶都有食用大麻的習慣，而神學院的學生甚至認為吸大麻比念經來得重要。

此外，早年印度教醫學（Ayurvedic）與伊斯蘭教醫學（Tibbi）替患者診治時，會開口服大麻藥方來治療瘧疾等傳染病或風溼等疼痛症。一般印度教與伊斯蘭教徒民間療法中，也常用大痲來消除疲勞，協助苦修僧安神。在今天羅馬尼亞境內的新石器時代墓地裡，挖掘出宗教用炭爐內有燒焦的大麻種子，可以說是最早吸食大麻的見證。

二、養生怡情的貢品

多數毒草被發掘與栽植均源於治療疾病、生活所需，饒有趣味的是，影響中國最甚的鴉片，傳入國境後，不僅當作藥材、滋補品，罌粟花成了國人喜愛觀賞的花卉，漸見種植，還成為文人賞嘆吟詠的對象。

西元前一三九年張騫通西域，罌粟依此因緣被帶入中國，六朝時期人們稱其為「斷腸草」，但種植不廣，到唐朝仍以貢品入境居多，至明代依然。據《明會典》記載，東南亞的暹羅（泰國）、爪哇、榜葛賴（馬六甲）等國，不時以國內所產的鴉片作為貢品藥材獻給大明皇帝，僅僅泰國，一次即獻貢三百斤鴉片（皇帝二百斤，皇后一百斤）。

根據史書記載，唐朝乾封二年（西元六六七年），拂霖國（大秦，東羅馬帝國）派遣使者進獻「底也伽」，底也伽主要成份為鴉片，是古代西方的靈丹妙藥，可以治療痢疾與解毒。

西元七世紀初，中東阿拉伯商人，再度把罌粟種子傳入中國，自此，國人對罌粟漸漸有了認識，紛紛提出栽植心得。陳藏器於《本草拾遺》描述罌粟花「其囊形如箭頭，中有細米」，所以俗稱「米囊花」；唐文宗時期的郭橐駝在〈種樹書〉篇表示，在九月九日與中秋夜時節播種鶯粟，花開得最美。清初文學家紀曉嵐有一首罌粟詩傳世：「罌粟花團六寸圍，雲泥潰出勝澆肥；階除開遍無人惜，小吏時時插帽歸。」詩末小注以過來人經驗告訴喜愛種植罌粟者，若在冬天播種罌粟子，經臘雪覆藏蘊育，會比在春天栽種開得更茂盛。

僅管罌粟毒性強烈，但可能是因它以貢品身份傳入，具有一分神聖神祕性，加上色彩豔麗如國人所愛好牡丹花一般，以致在清初之前，文人普遍視它為怡情養性的名貴花卉來歌詠。

盛唐詩人李白曾以罌粟的豔美為喻，諷刺以色取人、以色事人者：「昔作芙蓉花，今為斷腸草，以色事他人，能得幾時好。」活動於中唐時期的雍陶在〈西歸斜谷〉詩中寫到，罌粟花能解遊子離鄉之愁，令人有歸家的喜悅：「行過險棧出褒斜，歷盡平川似到家。萬里愁容今日散，馬前初見米囊花。」

南宋詞人劉克莊贊嘆罌粟花清雅脫俗，楚楚可憐：「初疑鄰女施朱染，又似宮嬪剪裁成；白白紅紅千萬染，不如雪外一枝橫。」同朝楊萬里也以「鳥與蜂喧蝶亦忙，爭傳天語詔花王；東皇羽節無供給，借探春風十日糧。」詩句，贊罌粟為花中之王。

明末文學家王世懋在〈花疏〉文裡，對罌粟花贊譽有加：「芍藥之後，罌粟花最繁華，加意灌植，妍好千態。」崇禎年間的徐霞客，遊至貴州省貴定白雲山，對遍地花開的罌粟花嘆為觀止：「鶯粟花殷紅，千葉簇，朵甚巨而密，丰豔不減丹藥。」同朝科學家徐光啟至北京做官時，在家書中特別叮囑家人幫他寄罌粟籽到北京寓所栽植，以附庸風雅。

到了清代，曹雪芹祖父曹寅有首〈題畫．罌粟〉傳世：「百年身世手摶沙，檢點春風笑萬華；鋤盡芳蘭枯殺蕙，滿庭璀燦米囊花。」與同朝詩人沈鐘彥所寫：「炊煙時或斷貧家，曉起俄看五色霞；任爾侏儒誇獨飽，中籬頭已放米囊花。」均賦予罌粟花團錦簇、怡人形象。不惟涵養情性，中國人也看到了罌粟的藥性與養生價值。唐五代時期，人們已普遍使用罌粟製作健胃散。宋人王謬在《百一選方》裡清楚記載，將罌粟子與殼炒熟磨成粉末後，加蜜製成藥丸，是治痢疾的特效藥；又，楊士瀛的《直指方》、王碩的《易簡方》、林洪的《山家清供》等醫書裡，均以罌粟的殼蒴為治病妙劑。到了元朝，忽必烈於一二七〇年設廣惠司，專製阿拉伯藥劑；一二九二年，元人又設「回回藥物院」，兩間醫務所已普遍使用罌粟主治咳嗽與泄痢。

相傳南宋詞人辛棄疾曾得痢疾，後來幸遇一名異僧，以陳年罌粟加人參等製成敗毒散，吞下威通丸十餘粒，病才好轉起來。十四世紀時，朱元璋領軍起義，義軍在鄱陽湖戰敗，退守在浙江省開化縣的古田山區。冬雨連綿，飢餓和寒冷，令多數士兵染上痢疾，朱元璋自己也病情嚴重，身體虛弱無法動彈。就在軍隊面臨缺火斷糧之際，有一位採藥的老翁背來兩只竹筐，一邊是白米，一邊是研細的草藥粉，告訴朱元璋說：「將白米熬成米湯，讓元帥及患病的士兵，以米湯送服草藥粉可治痢疾。」朱元璋在半信半疑之下也跟著服用，幾帖之後，竟然全都痊癒了。朱元璋後來證實此物是罌粟殼，有斂肺、止咳、止痛、澀腸效用。

此外，宋代中醫們發現罌粟不僅能當作藥用，還兼有養胃、調肺、潤喉等滋補功效。劉翰在《開寶本草》中說：「罌粟子一名米囊子，一名御米，其米主治丹石發動，不下飲食，和竹瀝煮作粥，食極美。」將罌粟子稱作「御米」，推斷這種滋補品已進入皇宮，也可見其珍貴。

罌粟不僅受醫家、官方推崇，在民間也頗受歡迎，人們以罌粟子煮粥視為進補食品。有些地方將罌粟子洗淨磨乳，去渣後煮沸收聚，製成小塊，服用時以紅麴水酒蒸後取出，製成魚鱗狀的小薄塊，稱為「魚餅」；或者用罌粟子和竹酒煮成的「佛粥」來進補。蘇轍在〈種藥苗〉詩裡詳盡說明了它的滋補功能：「苗堪春菜，實比秋穀，研作牛乳，烹為佛粥。老人氣衰，飲食無幾，食肉不消，食菜寡味。……煎以蜜水，便口利喉，調肺養胃……幽人衲僧，相對忘言。飲之一杯，失笑欣然。」其兄長蘇軾亦在〈歸宜興留題竹西寺〉詩中寫道：「道人勸飲雞蘇水，童子能煎鶯粟湯。」一如實反映時人以罌粟為滋補品的情況。

三、邊地民俗——抵抗瘴病良方

西南邊地滇緬地區自古以來飽受瘴氣之苦，中瘴者一般症狀是發寒熱，可以使人昏迷或發狂。嚴重的話，得病一、二日就會喪生。有的患者小便會成黑色，俗稱黑尿病，出現這種情形最易死亡。不過，並不是所有患者得病後均會死亡，有的患者病情時發時停，「寒時冰上臥，熱時蒸籠裡坐」，病磨一生。

每年清明至霜降的雨季時節，瘴氣最盛行，當地人認為瘴氣是毒蟲身上散發出來的毒氣，如「黑蛙瘴」就是毒蛙身上的毒氣；「長蟲瘴」就是蟒蛇身上的毒氣；「蜈蚣毒」就是蜈蚣身上的毒氣；「黃鱔瘴」，就是黃鱔身上的毒氣；「仙女瘴」，就是幽靈鬼怪作祟的毒氣。這些氣如煙雲，散佈空中：黑色之霧最毒，中人必死；五色霧，多現於日出日沒時，其毒次於黑霧；白霧是最常見，毒最輕。

為了躲避瘴氣，居處滇緬地區人們有所謂的「三不一吹」辦法，其中的「一吹」即是抽鴉片煙，他們稱鴉片為吹煙，深信吸食鴉片煙可以抵抗瘴氣。這項民俗已流傳千餘年，爾後還成了陷人入毒窟的技倆。以社會黑暗面為撰寫主題的吳趼人，在《二十年目睹之怪現狀》第四十七回裡，寫著陷害官員上癮吸食鴉片的故事，不肖者所採騙法即是食鴉片抗瘴的民俗：

那劉省帥向來最恨的是吃鴉片煙，這是那一班中興名將公共的脾氣，惟有他恨的最厲害。凡是屬下的人，有煙癮的，被他知道了，立刻撤差驅逐，片刻不許停留。……到了臺灣，瘴氣十分利害，凡是內地的人，大半都受不住，又都說是鴉片煙可以消除瘴氣，不免要吃幾口，又恐怕被他知道，於是設出一法，要他自己先上了癮……設法先通了他的家人，許下了重謝。

省帥向來用長煙筒吃旱煙，叫他家人代他裝旱煙時，偷攙了一個鴉片煙泡在內，天天如是。約過了一個多月，忽然一天不攙煙泡了，老頭子便覺得難過，眼淚鼻涕，流個不止。那家人知道他癮來了，便乘機進言，說這裡瘴氣重得很，莫非是瘴氣作怪，何不吃兩口鴉片試試看。他哪裡肯吃，說既是瘴氣，自有瘴氣的方子，可請醫生來診治。那裡禁得醫生也是受了賄囑的，診過了脈，也說是瘴氣，非鴉片不能解。他還是不肯吃。熬了一天，到底熬不過，雖然吃了些藥，又不見功效，只得拿鴉片煙來吃了幾口下肚，便見精神，從此竟是一天不能離的了。

故事中的劉省帥應是真實人物的劉銘傳，他非常反對人們吸食鴉片，有人陷計讓他疑似染上瘴氣，鼓勵他吸鴉片，他不肯，堅持請醫師開處方，但醫師受人賄賂，竟也説得瘴病需用鴉片治療不可，可憐原本清廉公正的父母官，最後也陷入鴉片煙癮中。

參、吸毒風氣遍地花開

在中世紀前的社會裡，這些毒草治療痼疾功不可沒，發揮一定的價值，但它的副作用也不容忽視。自十二世紀起，中國醫界與西方文學家已在各種書籍呼籲重視毒草的危害性。

宋代中醫師王碩在《易簡方》書裡寫道：「粟殼製痢如神，但性緊澀，多令嘔逆，故人畏而不敢服。」反映食罌粟後會令人起嘔吐等不適症狀。到了十三世紀，元朝名醫朱震亨已深刻了解罌粟藥材的殺傷力，建議謹慎使用：「今人虛勞咳嗽，多用粟咳止勤；溼熱泄瀝者，用之止澀。其止病之功雖急，殺人如劍，宜深戒之。」十七世紀時，英國醫師兼作家托馬斯・布朗指出：「沒有任何藥物能解開時間鴉片的毒性。」珀切斯在一六一三年出版的《珀切斯遊記》裡也說，一旦使用鴉片，就會每天處在死亡的痛苦之中。

遺憾的是，時人對這些警言並未重視，在吸食煙草風氣帶動與毒品經濟誘惑下，讓吸毒風氣如遍地花開，在全球社會造成莫大影響。

一、吸食煙草風氣開，毒品隨入禍萬端

從各項資料分析觀察可知，吸食毒品風氣盛行與吸煙草行為有關。欲知吸煙草對吸毒的影響力，需先了解煙草在人們生活中的意義。

（一）煙草的源起與用途

煙草是茄科煙草屬的一種植物，與茄子、土豆、辣椒、蕃茄、曼陀羅、枸杞等是近親。目前被植物學家確認的煙草約近七十種，但被人們栽培的僅三種：一是普通煙草，一是黃花煙草，兩者皆可食用；另一種由智利人培育出的白花煙草，只用來觀賞。

就其品種特性與用途，煙草可分六類：烤煙、曬晾煙、白肋煙、雪茄煙、香料煙、黃花煙。至於吸食方式，則有紙捲煙（又稱香煙）、葉捲煙、斗煙、旱煙、水煙、鼻煙與嚼煙等。

吸食煙草起源甚早。考古學家在造於西元前二十二至十八世紀前的法老墓中，發現了「若干陶製煙斗」，認為埃及是最早吸煙的民族。但人類學家則持另一種看法，認為最早吸煙草民族是蒙古人，他們可能在西元前一萬五千至兩萬年冰川時期，甚至更早的兩三萬年前，即帶著煙籽與用煙習慣從西伯利亞橫越白令海峽大陸橋，到達阿拉斯加，然後散居在美洲各地，今日美洲印第安人種，即是當時從亞洲遷徙的蒙古人。爾後，煙草從美洲傳入歐洲，再從歐洲傳回中國。

普世咸認為吸煙源起的印第安人，認為吸煙可以提神解悶，驅疫除病，更是天神賜予的聖品。葉翔南〈煙草的起源及其傳說〉一文提到，這種認知源自奇蹟復生的傳說：

在印第安一個部落裡，有位大首領的公主死了。當地習俗是舉行天葬，讓鳥獸啄食吃盡，就代表升天了。自然公主也是被抬到野外去天葬。奇怪的是，過了幾天，公主不僅沒有被吃掉，反而活著回來了。原來公主是煙草辛辣氣味刺激而甦醒，自此，煙草就以還魂草美名開始傳播。

所以印第安人在舉行各種紀念活動與慶祝節日時，都要把煙草當作貴重禮物來享用，用以祈禱神靈，佑民平安。美國人類學家摩爾根在《古代社會》詳盡記載煙草在印第安典禮中敬天愛地的意義：

部落召開行政會議……典禮主持人再站起來，納煙草於和平煙管之中，接受煙管表示和平，拒絕煙管表示戰爭……。將煙管放在自己的薪火上點燃。於是連續噴煙三次，第一次噴向天頂……表達對大神的感恩，感謝大神在過去一年中保護他的生命；第二次噴向地下……表達對地母神的感恩，感謝她以其種種物產維持了他的生活；……第三次噴向太陽，表達對太陽神的感恩，感謝太陽神光明不滅，普照萬物。……用這種煙管吸煙的儀式也表示他們保證彼此間的信任、友誼和名譽。

印第安人吸煙草的習俗，在西元一四九二年西班牙航海探險家哥倫布，無意間發現南北美洲時被揭曉。當年十月十二日，同航的兩名水手看到當地「無數人，男男女女，手裡拿著火把和草葉在吸」，他們所見正是印地安人吸食用玉米葉捲煙草的捲煙。十三天後，哥倫布接受了印第安人贈送的禮物，其中一項即是捲煙。

哥倫布將這新鮮事物帶回歐洲，在西元一五八八年由水手傳到葡萄牙，於一五五九年傳入西班牙種植。到一五六〇年時，法國駐葡大使讓・尼古特將煙草帶到法國巴黎，發現其有治療潰瘍和呼吸疾病的效用，被稱為「吸藥」。

自此，煙草種植在歐洲傳播開來。對時人來說，煙草是生活好幫手。例如西元一六六五年，英國鼠瘟猖獗，染病致死者眾，但大多吸煙者反而安全渡過這傳染病黑暗期，以致倫敦當局規定，男女學生必須在教室中抽煙，違者受罰，目的是要利用煙草的殺菌作用來防疫。無獨有偶的是，百年後的德國爆發大霍亂，僅捲煙廠的工人幾乎未感染。

在未發覺煙草有害健康前，煙草在歐洲發揮了殺蟲、滅菌、防疫與抑制腦膜炎等功效。

（二）煙草在中國

就文獻來說，煙草出現於中國本土時間，可推至兩千餘年前。其因素或與民間「焚香驅穢」風俗有關；或為誘敵；或做生活解藥；或輔祭儀；

或助施巫等。根據《松陽煙草志》在西元一九三九年十二月二十日出版的《鄉建通訊》半月刊記載：「中國之有煙葉栽種，早在漢朝以前。到了漢時，已設吏專管徵稅。」從博山爐廣為流行可知，漢代已有在室內焚香薰香習慣，而橫跨溫帶與亞熱帶的南越，善於出產香料植物，漢官在浙江征稅的貨物，即是南越所產的香茅草（煙草）。這項立論依據，還有敦煌壁畫可證，《昭君出塞》壁畫中，出現背著裝煙袋子的使臣。

三國時期，諸葛亮率軍南征時，士兵們感染當地的瘴氣，當地居民送九葉雲香草，燃燒吸取其煙以驅瘴毒。其流傳範為甚廣，東至山東，西到甘肅，南達雲南。雲香草被移植甘陝一帶後，逐漸成為當地家種煙葉，經過栽培馴化之後，從野生煙演變為今天的晾曬煙。

煙草對諸葛亮而言不僅能驅瘴，還可以誘敵。苗族地區至今仍盛傳一首《煙源歌》民謠，詳記孔明用煙薰誘孟獲（夷族部落首領，在今雲南省曲靖縣）出的故事：

要說煙源三國起，征討南蠻戰火生。孔明親自把兵督，沅澧兩岸紮重兵。孟獲戰敗無處躲，銀坑洞內把身存。只因孔明計策好，又打又拉攻不停。團團轉轉都圍住，還用百草辣子薰。其中有種黃金葉，勝過其他幾十分。眼看薰得命難保，孟獲無奈現原形。其實金葉叫煙草，一直流傳到如今。

唐代詩人劉禹錫在流放邊地時，曾寫過一首《竹枝詞》，反映湘西少數民族吸煙情況：「馬鞭煙袋細細通，兩人相戀莫漏風。燕子銜泥口要緊，蠶兒挽絲在肚中。」李京在元朝大德七年（西元一三〇三年）《雲南志略》記載金齒百夷（即今天雲南德宏傣族、景頗族）有「嚼煙草的習俗和嗜好。」相近時期，甘肅一帶盛傳唐肅宗封「唐台煙」為貢品的傳說：

一日，唐肅宗到羅川泰山廟為娘娘求子時，路上突然一股香氣迎面撲來，覺得這股香氣沁人心脾，即吩赴宮人找尋。原來是有位老漢在吸旱煙，唐肅宗忍不住拿過來吸一口，頓覺神清氣爽，當下封為貢品。他吸完一袋煙後，順手將煙灰彈在路邊地埂上，所以羅川煙改稱「唐台煙」。

天寶年間，王燾所著《外台秘要方》，首次提出吸食煙草可以治氣喘。到了宋代，蘇頌《圖經本草》裡說，將冬花扮蜂蜜，放入煙管裡吸，可以治療久咳不癒的毛病；晚宋寇宗奭於《本草衍義》裡，同證此說。但我們需注意的是，冬花本質不是煙草，所是將各種藥引，用吸煙方式進入人體內，以達治療效果。

此外，對邊地民族而言，煙草功用多元。例如鼻煙是蒙古人待客與婚禮上必備的用品；有些民族做法念咒時，則會吸煙或將煙熬成水喝，認為這樣就可以將巫師靈魂送到天上去找病人的魂魄；對傈僳族、德昂族、瑤族等來說，煙草是定情物也是聘禮，均反應一定的民俗意義。

從上述得知，在哥倫布一四九二年發現煙草前，中國已有吸煙草的行為與習俗，但多是地域性的，尚未普及化，也已意識到其對人體有害，明初朱元璋曾將吸煙列入犯法範圍：「洪武初定制，凡吸煙者殺無赦。可知當時實以此為鴆毒也。」

只是到了明代中後期，歐洲海員與商人將煙草傳入並大力推廣，吸煙草風氣遂在中國境內蔓延開來。

（三）歐風東傳——中國癮君子遍地湧現

當煙草與吸煙已成為歐洲時尚，青年人以吸煙表示自己的人際風度時，煙草需求暴增，煙草栽植與加工業也應運而生。一七一四年，世界第一座製煙場在俄國哈爾科夫成立；爾後英國、葡萄牙與西班牙也在菲律賓等殖民區大加栽植，並在東印度成立最大的種植煙草公司。

據一九八〇年十二月，廣西博物館文物隊在合浦地區發現了三件瓷煙斗，時間約成於西元一五四九年前後，是目前最早從歐洲傳吸食煙草風氣入中國的記載。對煙草傳入路徑研究甚深的吳晗，在〈談煙草〉文中明確指出有三條路線：1從菲律賓→福建→廣東→往北；2南洋→廣東→北方；3日本→朝鮮→遼東。

對煙草的傳入，官民各有立場。統合地說，官方持反對態度，一是視為毒藥，另一因則是煙與首都「燕」京同音，吃煙等同反抗朝廷，所以加以遏止。但是官方禁令終究無法抵擋民間的愛好，明末李逋的《蚓庵瑣語》寫著：「我地（今浙江嘉興地區）遍處栽種，雖三尺童子，莫不食煙。」同時期的名醫張景岳在《景岳全書．本草．隰草部》說，一回軍隊到雲南作戰，遇上瘴氣，多數軍人得病，僅有一營官兵安然無恙，詳查後知他們會吸煙，才能抵抗流行病。這消息傳開後，西南地區老少都吸煙了。

短短不到百年時間，煙業在國內快速成長，吸煙人口與年齡層不斷拓展，清初董含《蒓鄉贅筆》寫著：「初猶男子服之，既而遍及閨閣。」金學詩的《無所用心齋瑣語》中說，蘇州婦女生活安逸，每日睡到近午才起，梳裝打扮後即出閨房，吸煙草數筒。康熙年間的阮葵生也在其筆記《茶餘客話．卷九》寫道：「雖青閨稚女，金管錦囊與鏡奩牙尺並重矣。」即使黎士宏在《仁恕堂筆記》中對國人吸煙盛況深感憂慮：「天、崇間（明天啟崇禎年間）禁之甚嚴，有犯者殺無赦。今則無地不種，無人不食。約之天下，一歲所費以千萬計。」卻莫能禁。

煙草在近五世紀西風東傳，癮君子遍地湧現，許多名臣文人都是不折不扣癮君子代表，歷史上頂頂有名的「紀大煙袋」——紀曉嵐就是其一，不把皇帝禁煙令放在眼裡的他，反以幽默智慧讓乾隆皇帝賜他一個大煙斗的故事，被收錄在李伯元的《南亭筆記》：

紀曉嵐非常喜歡吸煙，常裝滿一大煙袋的煙絲來吸。一天他正手持煙袋吞雲吐霧時，忽聞「皇上駕到！」他急忙把煙斗塞入靴子裡，匆忙跑出去迎駕，卻忘了熄煙，以致靴中煙斗把衣服燒著了，冒出縷縷青煙。乾隆皇帝吃驚地問他怎麼回事，只見紀曉嵐痛得眉頭深瑣，不敢實說。皇帝命人搜身，發現了靴子裡的煙袋還在燃燒，不禁笑說：「吸煙事小，燒到皮膚就不好了！」並命他作文狀罪。只見紀曉嵐寫著：「褲焚，帝退朝曰：

『傷脛乎？不問斗。』」皇帝看了大笑，立刻賜他大煙斗，並允許他在翰林院內吸煙。

煙草之所以會成為了人們生活中不可或缺的一部份，歸納有以下數種原因：

1.煙草的成癮性：吸煙時，煙草中的尼古丁等物質會迅速強烈的刺激大腦，人體會產生自身的嗎啡激素，令人有著興奮感，反之若停止吸食，就會感到焦躁不安、精神緊張或恐慌，所以更需要透過煙來滿足，這也是所謂的煙癮。

2.社會潮流：從歐美傳入吸煙風氣時，同步引入吸煙是種時尚文化的觀念，使之很容易成為中國社會上的一種人際禮儀。清人陸燿在《煙譜・好尚第四》篇說：「酒食可缺也，而煙絕不可缺。賓主酬酢，先以此物為敬。」在農村地區，則是將自己吸的長煙袋遞給客人吸幾口，表示對對方敬重之意。將吸煙視為社會交際的風氣不僅是男性的權利，連閨閣聯誼也是如此。

3.煙業帶來高經濟利益：煙草是經濟作物，它適應力強，溫熱地帶均適合栽植，且利潤比種稻高出數倍之多（見覺羅誠善編：《永定縣志》），市場需求量廣增，以致僅僅在西元一八六七至一八九四年不到三十年間，中國煙草出口量從七十三噸暴增至五六九四噸。

種種因素，讓煙草業盛行不輟，毒品也隨著煙草悄然傳輸，走進人們原本平靜的世界。

（四）殖民腳印引煙毒，煙中帶毒啟業門

從十六世紀五〇年代前後，葡萄牙人已陸續將鴉片從印度運往中國販賣，澳門是其中一個很重要的據點。不過當時國人對鴉片認知仍停留在藥用功能，採呑服少量生鴉片或煎服方式治療疾病，需求量有限。

到了十七世紀初，歐洲多國殖民腳印伸入東方，荷蘭人將大量鴉片遠銷至印度、爪哇一帶外，還把鴉片和煙草混合成煙品，賣給爪哇土著吸食。很快地，這種方式傳到台灣；透過商旅、水手互通交流，不久即散播到沿海的漳州、泉州、廈門一帶。同一時間，英國覬覦中國的經濟資源，將鴉片加工、製成特殊貨物運往中國販賣。英國將國產的紡織品銷往印度，再從印度購進鴉片銷往中國，並從中國購買茶葉、生絲、土布等農產品，從三角貿易關係中取得厚潤。

十七世紀吸煙風氣熾盛，對鴉片的蔓延有推波助瀾之效。中國人視鴉片為藥品，用鴉片製成的鴉片煙是否有害健康，大家一知半解，認為鴉片煙不過是讓人感受快樂似神仙的另一種煙草，將吸煙與吸毒視為同類行為，忽略它的危害性非煙草能匹。爾後漸漸了解其害處，有部份人士登高一呼，務斷鴉片煙癮，但不肖之徒利用大眾吸煙嗜好，在煙草中置入微量鴉片，誘人上癮，連這些呼口號者本身都不自覺陷入其中。吸煙風氣普及到全國男女老幼，添加鴉片的煙草予人的快樂感，又比吸煙增上無數倍，廣受人人喜愛，吸鴉片順此風潮深入各階層，以致到乾隆時期，吸鴉片風氣已從沿海傳入內地，各地賣鴉片的煙館如雨後春筍般湧現，十八世紀前期，台灣人還發明了專門吸食鴉片用的煙袋。

當鴉片在東方沸沸揚揚之際，鴉片癮也在歐美的上流社會與中產階級迅速開展，美國在一八七〇與八〇年代已有普遍吸食鴉片現象，成了白人底層社會很重要的習慣，也種下了罪犯毒品次文化的根由。

二、毒品迅速播傳的推手——經濟利益

毒品在短短數世紀中有如雨後春筍般發展，成癮性是人們無法抗拒的重要因素外，販毒的經濟利潤更是讓毒品迅速傳播的推手。

毒品既然危害如此之深，難道執政者均袖手旁觀嗎？其實不然。從明初至清政府就已經注意到毒品對社會的影響，亦有禁令。在雍正七年（西元一七二九年），清廷首次正式頒布禁毒令：「定興販鴉片者，照收買違禁或物例，枷號一月，發近邊充軍；私開鴉片煙館引誘良家子弟者，照邪

教惑眾律，擬絞監候。」這也是世界上第一個禁毒法令，但對遏止鴉片流入，一點效果也沒有。走私鴉片猖獗於各省市。尤其是康熙二十年（西元一六八六年）廢除海禁的政策，重開南洋貿易，無疑是替鴉片輸入開了一扇方便門。僅管政府抓得緊，但走私集團亦有對策，他們有專門包攬走私的武裝快船，名為「快蟹」、「扒龍」，這種快速小船兩邊架有鐵絲網，足以抵擋政府查緝所發出的炮火；船上還有六七十名年輕力壯的水手，以及強大火力武器，船的左右另有快槳五六十支，來往如飛，且多在晚間划行，瞬息划過各關口，政府的水師巡船根本無力攔截。然而貨品一旦到手，都有數十至百倍的利潤可圖。

不惟走私利多，本土栽植也有厚利，以一畝地計，年收三百至五百斤小麥；若種罌粟鴉片，可有二千斤小麥的收入，許多貧困人家視為致富手段，寧願借貸買罌粟種子。當吸鴉片風掀起種罌粟風時，還衍生出「趕煙會」的特殊民情。這趕煙會是怎麼來的呢？正因種罌粟經濟價值高，例如河套一帶的農村幾乎遍地栽種，每到收割時節，收割工人群集、商販雲集，民間藝人也趕搭列車，說書和唱戲等娛樂活動也發展起來，行乞者趁機轉來此地，原本純樸的農村頓時熱鬧非凡，形成了煙會，也稱煙場或煙集，趕煙會成了時人一項重要社會活動。就連縣府官差也趁機下鄉，立名堂勒捐，借機圖利。

參、毒品的魅力

想當初時來運來，悠哉悠哉；燒幾口精神爽快，吃兩口散淡心懷。到而今癮發難挨，片時不待。

想當初廣有錢財，事多慷慨；而今淪為乞丐，豈不悲哉！

想當初體強心泰，而今精神喪敗，瘦骨如柴。

想當初自不警戒，惹下禍胎，罹此災害，還比虎豺。

害得我精神喪敗，如癡如呆，行如風擺，枯瘦如柴；

害得我人亡家敗，出丑弄乖，家產變賣，高築債台；
害得我成精作怪，十死九埋，居卑處矮，而今放悲哀！

這首長詩〈煙哥自嘆〉節錄自劉師亮所編的《師亮隨刊》，是吸毒者發自內心的懺悔。若問吸毒者知不知毒的危害性？他們會勸戒他人莫觸毒網，但再問他們想不想戒？泰半是搖頭的。很多人一開始也許是抱持「好奇嘗試」心態接觸毒品，自認可以憑意志力戒斷，殊不知當內心想嘗試、聞到氣味時，就已不自覺上癮了，遑論淺吸三五日，毒髓已深難自拔。

羅從修《自責煙王》書中描述煙王劉聖瞻出身官宦、富商之家，本受良好教育。一回他無意經過一家「吮香煙室」（此處是抽鴉片館），門簾上寫著「聞香下馬」的廣告詞，他看見字、還沒有聞到煙氣就著迷了，馬上走進去。初試雲霧，精神百倍，從此成了常客，不久即在自家內私設抽鴉片煙具，成日逍遙。被母親發現後，勒令書童緊盯，嚴加監管，好不容意熬過戒煙期，用功讀書。只是過了不久，舊癮復發，思鴉片煙比吸食之情更劇烈，最後醉生夢死在鴉片煙中。足見人只要意念中有鴉片，眼耳鼻舌等根就已陷入鴉片毒癮中。

陶廣仁在《舊北京的煙害》回憶錄中，以切身經歷講述戒毒之難被動吸煙上癮的情形：

我的父母均吸大煙（鴉片），父親患多種疾病，醫生再三勸其戒煙，並說如再吸用必會短壽，他僅活到五十周歲就病故了。母親在醫院戒煙時受了不少苦，日夜不能入睡，甚至腿足倚牆形同倒立，呼喊難過大汗淋漓。

吸用大煙者容易上癮，常聞煙的人也可以上癮。我的妻子為侍候老母，經常為老人燒大煙，後來發現如不代母燒大煙，就覺得周身無力，困倦沒有精神，有時還連打哈欠。……不但人能聞煙上癮，動物如久在大煙室中也可上癮。我家的男佣人有的上了大煙癮，晚飯後均到馬號吸用大煙。我家的馬車伕養有一只小黃鳥，該屋中無人吸大煙時，籠中小鳥把頭藏在翅下呈睡眠狀，但當吸煙奔出霧之際，小鳥把頭伸出，鼓動雙翅，抖擻羽毛，在籠中飛動跳躍，紙頂棚內的老鼠也活躍起來，狂奔呼呼作響。

李希賢在《舊社會河套地區鴉片煙害》中也說了一則動物癮發命喪的故事：

有戶人家，房頂有鼠洞，老鼠嗅聞鴉片煙氣，日久上癮。當房主人外出一段時期才回來，發現老鼠死了。另有戶人家飼養百靈鳥，每當晚上主人吸煙，鴉片煙氣滿屋時，百靈鳥才在籠中歡蹦亂跳，後來主人沒有煙吸了，百靈鳥也死了。

不僅如此，孕婦若吸鴉片煙，胎兒在腹中就會受毒，染上毒癮，嬰兒出生後要哺噴鴉片煙霧，不然則啼哭不止。楊國治〈西康省雅屬的煙禍〉文中，即記載嬰兒、猴子上癮的真實事例：

我家隔壁張子紹的兒子在生下地，他母親就向他吹送鴉片煙的煙子，說是在胎中就有了癮，每天吹送煙子，嬰兒不哭；不吹，他就哭；二十軍團長傅德銓，餵養一個猴子，傅德銓吸鴉片時，猴子就在煙榻上玩，嗅嗅煙子，傅也常向猴子吹吐煙子，無形成癮，如果到時沒有給猴子吹煙子，牠就要急躁得叫鬧。有一次傅故意把猴子釋放出去，不出一天，猴子煙癮發了，逼得牠主動放棄自由的天地，回到傅德銓的煙塌上來。

可見鴉片煙的成癮性有多深，真是欲吃不得，欲忍不能。洗波在《煙毒的歷史》書中提到，一九三〇年代京劇老生王文源的妹妹，本出閨閣，後來染上鴉片煙，毒癮發作路倒北京白米斜街內的巷弄中，無法返家，在她垂死前，竟選擇出賣身體換得最後一包「白粉」，尊嚴盡失。經營茶館、酒店的葛德連，生意做得很大，但後來染上鴉片癮，並邀妻子一同吸食，夫唱婦隨，到最後兩人沉浸煙毒中，連店都無暇看顧，不過兩三年光景就關門了。所剩積蓄也都用來買毒品，揮霍一空，漸失生活經濟來源，連買鴉片的錢都沒有，最後竟把腦筋動到女兒身上，將女兒賣到妓院，獲得的錢足夠吸過幾天煙癮。錢用完後又賣房子，賣房子的錢又抽完後，便要妻子出賣身體來換取兩人吸毒的經濟來源。

類如吸毒致家破人亡的慘況，清朝以來比比皆是，不惟大戶人家如此，即使是士工農礦等，也都染上了。有位督學去某縣城內視察時發現駭人景象：

九點已經過去，這個縣城還是一片寂靜，沉睡未醒。只聽見一名更夫有氣無力地敲著鑼，穿街過巷，提醒人們起床，但更夫自己也哈欠連連，涕淚直流，明顯是睡意濃重的煙鬼。到了城內最大的中學，直到九點半，教師、學生才懶洋洋地踱進教室，看到督學勉強打起精神上課。但台上教師瘦骨如柴，肩聳背彎（煙鬼狀），哈欠不斷，涕淚直流；台下學生各個臉色青灰，無精打采，若非站在教室門外，還以為是哈欠大合奏呢！再走進宿舍，潔白的床單上都有些焦洞，掀起床單一角，大煙具盡入眼簾。舍監尷尬地說：「這是多年留下的惡習，我們正設法勸戒！」

以勞力換取報酬的苦役人，染上鴉片煙後：「舊把鋪蓋賣，新的換舊的，舊的換麻袋。一條破麻袋，能鋪不能蓋，天冷肚子餓，小鬼來逼債，賣掉兒和女，還不清閻王債，凍死路邊倒，閻王腳下踩，一把尸骨扔關外。」這種現象在各省已為常態，至道光年間，保衛國家、紀律嚴謹的軍隊，也淪陷鴉片癮海中，影響戰鬥力；政府想用禁策力挽狂瀾，但放眼望去整個國家從官到民、乃至宮內太監侍衛等：「上自管府縉紳，下至工商優隸，以及婦女、僧尼、道士，隨在吸食。……文武衙門上下人等，絕無食鴉片煙者甚屬寥寥！」

當全國沉浸在鴉片樂中，民間生計蕭索。宋翔鳳《鴉片館》詩云：「百事無不廢，千金可坐耗。」大家將錢都花在買鴉片上，生活用品、商業、手工業、紡織業等均見蕭條。

林則徐在奏章中記錄一八三八年在蘇州、武漢經商的商人說：「近來各種貨物，銷路皆疲，凡二三十年以前，某貨約有萬金交易者，今只剩得半之數。」白銀流失難計其數。

面對鴉片吞噬國人的生命力、經濟生產力、生育力，國家白銀外流不貲，清代大臣各有看法，也提出種種解決之道。道光年間的許乃濟認為，鴉片經濟利潤太高，才會讓各國想盡辦法銷售世界最大通路的中國，所以允許百姓栽植罌粟，自給自足，並提高鴉片進口關稅，洋人利潤日減，無利可圖，自然就不會將鴉片運往中國販售。這雖然可以消除白銀大量外流的痼疾，但會造成農人棄農趨利，棄稻穀等農作物改種罌粟，導致糧荒饑饉，且國內自供自應，價廉物足，反而增加吸食人口。接著，黃爵滋在《請嚴塞漏卮以培國本折》裡主張吸食者以死刑論，使人不敢吸毒；梁章鉅等則認為應對煙毒犯施以墨刑，讓他們顏面上刻下懺悔字，用羞辱逼其戒斷；林則徐等則主張銷毀查獲的鴉片。

自道光以來的禁煙運動，頒布《欽定查禁鴉片章程》三十九條；清末民初採分期禁絕與先禁土藥後禁洋藥的辦法；與南京國民政府時期的「二年禁毒，六年禁煙」措施，曾讓吸毒風潮有緩和之姿，只是對吸毒者而言，毒癮一旦發作，就算是白刃加於前、虎狼追在後也無法抗拒。

欲讓毒品不再泛濫，真正解決之道實在於救心，讓國人擁有正確的生活方向與價值觀，而不是在煙毒幻霧境界中逃避現實，方不會淪為毒品的奴役。

煙消癮散——台灣反毒新階段

朱致賢

「心中最大的慟，莫過於毒海淹沒了家，淹死了弟弟，害父親悲慟而死，毒害之可怕，真像魔鬼般如影隨形，緊追不捨著。」一說起全家被毒品所害，秀美便止不住淚眼潸潸。

秀美的父母老來得子，對兩個兒子十分疼愛，沒有想到兄弟倆先後染上毒癮，一家頓時陷入了水深火熱的苦海中。父親勸戒不成，無可奈何下將大弟送進少年觀護所，從此他在公、私立戒毒所進進出出，始終無法成功戒毒。

毒癮發作時，秀美的弟弟會變得六親不認，在家中大吼大叫，非要拿到錢去買毒品不可。父親為了讓弟弟能夠謀生，進而戒毒，遂教他們從事派報工作。「當時父親心臟開刀，但他總是拖著孱弱的身子，在清晨四點多，一步一步艱難地爬到大弟臥房門口，聲聲呼喚叫醒兒子去送報，就怕大弟毒癮一發，沒去送報丟了工作！」

秀美的父親積憂、積勞，終於一病而去，死前還老淚縱橫地說：「希望兒子能毒海重生。」小弟有心戒毒，卻不敵毒癮的威力，選擇自殺以死謝罪。大弟雖在此番衝擊下決心戒毒，但身體累積的毒害已深，最後因為胰臟癌英年早逝。

煙毒犯擠滿監獄

這樣的家庭悲劇，正在台灣許多角落上演。根據法務部的資料，台灣地區保守估計吸毒與販毒者逾二十萬人，調查局則推估全國吸毒人口在五、六十萬之譜。也就是說，有數十萬個家庭、數百萬人為此身心俱疲、天倫破碎。更別提吸毒者為購買毒品而涉及竊盜、詐騙和各種暴力犯罪，對社會造成廣泛傷害。

「台灣的監獄已經爆滿了，每個監獄都超收！」台中女子監獄祕書劉昕蓉說，台灣的監獄收容人目前有五萬八千多人，超過法定收容員額近兩成之多。因涉及毒品案件入監的就有兩萬五千人，而在所有的犯罪事件中，七成脫離不了毒品，此實為國內犯罪問題的一大根源。

毒害氾濫，舉世皆然。國際刑警調查，二〇〇二年全球毒品銷售金額約在八千億到一兆美元，占全球貿易總額百分之十，超過石油交易金額，成為僅次於軍火的全球第二大貿易品。美國國內也有四成以上的犯罪與毒品有關。

面對如此嚴重的問題，各國政府莫不採取嚴厲措施。美國總統尼克森從一九六九年開始升高反毒層次，一九八九年老布希更宣布展開「藥物戰爭」，投入鉅額經費擴大緝毒組織、興建監獄。一九九〇年代中期，美國消耗在藥物戰爭上的資源高達三百五十億美元，四十萬人因違禁藥物相關罪名被監禁或拘留，入監人數比例全球最高。

民國八十二年（一九九三），台灣吸毒犯暴增，行政院長連戰遂宣布「向毒品宣戰」，以「斷絕供給」及「減少需求」雙管齊下打擊毒品犯罪。但越是雷厲風行地查緝、取締、懲罰，毒品氾濫問題卻更如野火燎原一發不可收拾。二十多年來，事實證明無論在台灣還是世界各國，以嚴打、防堵為核心的「戰爭模式」反毒策略都無法成功。

是藥品還是毒品？

事實上，很多毒品最初都是做為藥品而被發明、使用的。只是因為遭到非醫療性的濫用，產生了極大的危害，才被歸類為毒品。在西方語言中，對具有精神刺激性的「藥物」並不使用「毒品」這樣負面價值判斷的說法。

但在華人世界，自清末鴉片戕害一整代人身家性命，更因此招致鴉片戰爭與不平等條約等屈辱的歷史，在在使得華人對於毒之一物深惡痛絕。「毒品」一詞反應著華人集體潛意識中對帝國主義壓迫揮之不去的陰影，也是中華民族主義建構的重要核心。

根據管制藥品管理局統計，我國醫療嗎啡使用量是美國的十八分之一，日本的三分之一。也就是說，即使病人承受很大的痛苦，醫師和病人對嗎啡的使用依然十分謹慎乃至抗拒，反應了人們對「毒品嗎啡」的畏懼更勝對「藥品嗎啡」的需要。在這樣的文化心理背景下，毒品問題更難以被冷靜地討論。

人類的大腦只有一千四百克左右，但有數百億的神經細胞。神經與神經之間並不直接相連，而是透過多巴胺、去甲腎上腺素和血清素等「神經傳導物質」來傳遞各種訊息。人類在明白這些機制之前就已經懂得使用煙、酒、大麻和鴉片等刺激物品來改變腦內的傳導物質濃度。當代醫學研究逐步揭開這些藥品的作用，同時用以治療憂鬱症和分裂症等精神疾病。

然而一旦被用作醫療以外的使用與濫用，藥品就變成毒品。譬如安非他命的作用是促進神經元，將令人精神高昂、專注的多巴胺釋放到神經間隙，同時阻礙其被身體分解吸收，使人持續地產生強烈的興奮作用，感覺不到疲勞，甚至可以幾天不吃不睡。二次大戰時日軍就用以提升夜間行軍士氣。

「吸了安非他命後，會變得很有精神，而且十分執著，忘了要吃飯睡覺。」曾染毒癮十多年，如今已戒毒成功的彭隆建說，「有些人會花一整天把房間打掃得一塵不染，或者把整台機車拆解開來再重新裝回去，還有人製作吸安用的過濾器，做到像藝術品。甚至為了修指甲，不斷剪短直到流血不止都還不住手。」

疲勞本來是身體的一種保護反應，提醒人們適時休息，以免受傷。吸食安非他命的人無法感覺疲勞，覺得有用不完的精力，但事實上身體已經疲累不堪。因此當幾天後藥力退去，就會造成身體的代償作用，以及崩潰式的昏睡。

毒癮糾纏，身不由主

毒品最可怕之處在於讓人成癮，並且產生戒斷症狀和耐受性。當毒品刺激神經傳導物質大量分泌之後，大腦會自動減少該物質的自主分泌，以求得平衡。久而久之，體內傳導物質分泌不足，就更加依賴外來物質的刺激，成為毒癮。

「床頭沒有毒品我不敢睡，否則半夜毒癮發作，怕沒地方買藥。那時真的是只要打聽到哪裡有貨，不管有多遠，就算在外縣市都立刻趕去，眼睛裡只看得見毒品，看不見青紅燈。」也是從十多年毒癮中戒除解脫的林朝清，回憶被毒品控制的過往，感嘆道：「吸毒的人大腦已經被改變了，為了買毒，會去做內心不願意做的事。」

一位更生人說，毒癮發作時，會感到全身骨頭酸痛、忽冷忽熱，也會流眼淚鼻涕、打呵欠，好像有千萬隻蟲往身體裡鑽，無法入睡，痛苦至極，就算是冬天寒流來襲，沖冷水都沒有辦法壓住痛苦的感覺。

林朝清曾因為吸毒休克昏倒在路邊，急救了三天才脫離險境。為了擔心他去買毒的路上發生意外，媽媽雖然反對他吸毒，還是會陪他前去。「我一進去藥頭屋裡，就把媽媽丟在路邊兩三個小時，等吸完了毒才出來。」媽媽曾帶他到山上的工寮去戒毒，他口頭上答應要戒，暗中卻仍帶著一包毒品。過了兩、三天毒品用完，癮頭發作，他竟自己跳上機車下山，把媽媽一個人丟在沒水沒電的山上。

由於媽媽的包容和始終不放棄的關愛，加上後來在慈濟找到信仰的支持，林朝清最後終於戒毒成功。「現在如果有人拿一包毒品給我，我已經可以毫不遲疑地拿去馬桶沖掉。不過從下決心戒毒，到定下心絲毫不被毒品誘惑，總共花了三年的時間。」

毒癮是一種慢性病

台北市立聯合醫院松德院區成癮防治科主任束連文指出，成癮者處境很困難，他們常常是真誠地想改變，但成癮已經造成行為控制力的損傷，「我們經常看到成癮者下定決心不要再回去用毒品，也努力去做，但一段時間又用上了，直到親友不再相信，變得自暴自棄。這不只是意志力的問題，成癮行為的改變是需要訓練及學習的，通常需要足夠的時間及協助才能達到。」

當代研究者透過正子斷層掃描和核磁共振等精密的腦部造影技術，發現十年以上的甲基安非他命（冰毒）使用者，腦部邊緣系統和海馬迴細胞喪失將近十分之一，這種病狀和初期的阿茲海默症患者相似。此外，毒品也會造成使用者暴斃、休克、心血管疾病和中風，或者在迷幻作用下發生車禍和墜樓等意外事故。

毒品會對人體造成傷害，並產生毒癮、戒斷症狀和耐受性，完全符合醫學上對疾病的定義。早在一九五六年，美國醫學會就已經正式承認「成癮」是一種疾病，聯合國毒品與犯罪問題辦公室（UNODC）也將毒癮視為一種容易復發的慢性病。然而人們長久以來多認為吸毒者是意志不堅、自甘墮落，吸毒者被稱為毒蟲，這影響了政府的反毒政策，也使毒癮者求助無門。

但近年來，世界各國政府在實務上已逐步將吸食毒品除罪化或除刑化。台灣也在民國八十七年（一九九八）修改法令，將《肅清煙毒條例》改為《毒品危害防制條例》，將施用毒品者視為病患，先在戒治機構戒斷藥癮，再犯者才判決入監服刑。

這種態度上的轉變，除了勞民傷財的藥物戰爭成效不彰，也是因為現實上遭遇了公共衛生的巨大挑戰——吸毒造成愛滋病快速傳染。

由於施打海洛因的吸毒者，經常有重複使用以及共用針頭的習慣，愛滋病毒遂在吸毒者之間快速傳播開來。世界衛生組織（WHO）曾提出報告，二〇〇四年全球四千萬人感染愛滋，其中將近五百萬是因為共用針頭傳染。愛滋病患中有超過一成是因注射毒品感染，而毒品注射者有三成因此染上愛滋。

愛滋病流行改變毒品政策

民國九十四年（二〇〇五），台灣新增感染愛滋病人數暴增為三千四百人，較前一年增加一倍，令國人及政府大感震驚。時任台南縣副縣長的顏純左醫師說，他檢視通報數據後發現，台南縣的感染者多為男性、毒品吸食者，且集中在歸仁。

「為什麼在歸仁？因為歸仁有監獄和看守所。我隨即安排進監獄和這些人聊天，了解其實他們也知道共用針筒的危險性。但因為當時台灣的愛滋病人還不是非常多，他們認為沒有那麼倒楣，所以抱著僥倖之心，結果不小心感染到了。愛滋病的傳染與吸毒的關係十分密切。」

眼看疫情一發不可收拾，衛生署趕緊在當年底展開「減害試辦計畫」，並於台北縣市和台南縣發放清潔針具，同時在桃園縣試辦美沙冬替代療法——由醫療機構提供海洛因成癮者使用二級毒品美沙冬，藉由其相似的藥理作用和較長時間的藥效來治療成癮者，減輕其用藥量，以及社會危害性。

試辦結果成效斐然，衛生署於是下令全國從民國九十五年（二〇〇六）七月起全面辦理。隔年愛滋新增病患立即降到二千人以下，到九十六年（二〇〇九）時更減少為一千六百餘人。

曾經以「零容忍政策」嚴打重懲毒犯的美國，也在此威脅下改變政策。紐約市從一九九〇年起逐漸增加清潔針具發放量，該市藥癮者感染愛滋病的比例，因此在十年間從百分之三點五五下降為零點七七。澳洲實行清潔針具交換的城市，愛滋病盛行率平均也下降了百分之十八點六。

減害與替代政策的另一個顯著收穫，是刑事案件的大量減少。台灣的刑案高峰和愛滋感染人數高峰一樣落在民國九十四年（二〇〇五），達五十五萬件。隨著這兩項政策的實施，四年後刑案發生數大幅減少近三成。顏純左指出，政府每提供一人使用美沙冬，平均可減少十二件刑案。而在美國，目前有十五萬人使用美沙冬，根據追蹤研究，接受替代療法一年以上的病人，犯罪行為減少了百分之六十五。

減害計畫並非萬靈丹

無論減害計畫或者替代療法，和過去反毒政策最大的不同是，政府主動鼓勵吸毒者走出來，使用國家提供的針具和毒品美沙冬。這徹底扭轉了「零容忍」的政策。

儘管有著立竿見影的卓著成效，減害計畫與替代療法卻引起相當大的爭議：由公部門提供針具，是否意味著政府同意乃至鼓勵人們吸毒？用二級毒品來治療一級毒品的毒癮，究竟是以毒攻毒，還是飲鴆止渴？

基督教晨曦會總幹事劉民和牧師就認為，替代方案短時間可以減輕一些傷害，長期而言卻仍會增加吸毒人口。他以自身曾經染嚴重毒癮的經驗指出，以美沙冬替代海洛因，反而會讓吸毒者產生兩種癮，到時候更難戒除，且有道德上的疑慮。

也有人質疑，開立美沙冬的醫院，會成為藥癮者躲避警察查緝的避風港，更可能成為藥頭找尋買家的最佳地點。

總而言之，減害計畫與替代療法絕非防治毒害問題的萬靈丹，而是基於社會整體利益出發的權宜措施，後續的照顧機制仍有極大的發展空間。以荷蘭為例，該國的減害措施有完整的配套，優先著重健康照護與預防使用，提供門診、住院、輔導、團體治療和心理輔導。並由員警、志工和地區醫療機構合作，成立環境安全的庇護所，讓成癮者有住宿之處和合法工作收入，將減少毒品傷害理念發揮到極致。

目前國內較具規模的民間戒毒機構有基督教晨曦會、天主教主愛之家和台東鹿鳴精舍等，主要是以宗教的力量支持成癮者戒毒。政府單位對毒癮戒治的觀念也逐漸改變，採用較為先進的治療方式。

青少年藥物濫用惡化

在草屯茄荖山莊的中庭，學員們戴上自己繪製的面具，手牽手圍成一圈，互相鼓勵一起走出毒品的陰影。治療師黃耀興表示，這是利用藝術治療的方式，讓學員釋放心中的情緒。

這是由法務部和衛生署合作設立，全台第一個居住型戒治社區，完全不用藥物，讓學員在共同生活中學習自己打理生活的能力，並透過團體治療課程慢慢治療毒癮，找回自己的生活目標。

不過無論那一種治療方式，都必須經歷漫長的過程，完全戒治成功的比例也只有一成左右。最可慮的是，成癮者戒治工作艱難，而新上癮者仍不斷增加，而且還有日益年輕化的傾向。

近四年來，地方法院審理少年犯罪案件，與毒品相關的從二百餘件增加為七百六十件，顯見青少年使用毒品的情形激增。

台大醫學院藥理所榮譽教授蕭水銀指出，國內藥品濫用問題從過去成分單一、純度高的毒品，轉變成搖頭丸、搖腳丸等成分複雜的「俱樂部藥品」。製藥者以安非他命或MDMA為基，使用簡單的化學修飾反應，合成藥效多變而毒性更強的藥物，並且在外觀上製成各種顏色、形狀與圖案，給予藥物變化與時尚面貌。

行政院衛生署管制藥品管理局曾收集民國九十一年（二〇〇二）至九十三年（二〇〇四）間緝獲含MDMA成分的搖頭丸錠劑一百三十六顆，分別以氣相層析質譜儀定量分析其含量，並使用全質譜掃描方式檢驗是否含有其他毒品或藥品成分。結果發現MDMA含量最高達一百九十三毫克，最少者為三十六毫克，相差五倍。其中四十八顆摻雜兩種到五種多重成分，包括MDEA和安非他命等近十種不同藥品。吸毒者無法預測所服用的搖頭丸之MDMA含量以及其他成分，不僅對自身健康造成莫大危害，也增加治療上的困難。

面對藥品濫用年輕化、毒品成分複雜化，且毒癮戒治不易，最好的方法是釜底抽薪，讓人們從一開始就不接觸毒品。目前我國的反毒政策，就已從首重斷絕供給轉為首重降低毒品需求。同時也有許多民間團體投入反毒宣導教育的領域。

釜底抽薪減少需求

教育部近年加強校園反毒工作，除了增加反毒教育的時間和深度，並且建立輔導體系，由學校「春暉小組」以及招募退休教師、愛心媽媽和大專青年組成的「春暉認輔志工」追蹤濫用藥物的學生，及早挽回。

在民間，淨化社會文教基金會推動反毒宣導教育已有十年，「拒毒不落伍」校園反毒教育巡迴活動深入全國各縣市中小學和大專院校；主愛之家的「反毒行腳」遍佈全台，除了各級學校，也進入社區和監獄，以唱歌、跳舞、戲劇等多樣化的方式，配合戒毒成功者的見證來宣導。

慈濟大學與慈濟北區教師聯誼會在蕭水銀提議之下，自民國九十八年（二〇〇九）十一月起推動「無毒有我．有我無毒」活動，在校園和社區以生動活潑的教案宣導反毒知識。

「錫箔紙揉成一團後還能恢復原本的樣子嗎？」老師讓學生試著揉捏錫箔紙，學生們紛紛回答道：「顏色變了！」「變得坑坑洞洞！」老師緊接著播放吸毒者腦神經病變的圖片，告訴學生們，吸毒對大腦的傷害，就像揉壞的錫箔紙一樣。

老師們又讓學生身上套著呼拉圈，抵抗同學的拉扯。「被套上一個呼拉圈還可以抵抗，兩個呼拉圈就開始力不從心，套上三個呼拉圈時身不由己就被拉走了！」扮演上癮者的小朋友，藉此體驗到毒品上癮乃是一輩子的枷鎖。

「無毒有我．有我無毒」以生動的教案，讓學生樂於參與，並對毒品獲得正確的認知。同時配合教育部、法務部的邀請舉辦多場以更生人蔡天勝、黃瑞芳為主角的《破浪而出》、《逆子》兩部影片特映會。

防治毒害從心做起

慈濟大學校長王本榮說：「吸毒不全然是醫學問題或法律問題，它更是根本的教育問題。毒品的濫用其深層動機是為了追求快樂或逃避不快樂，我們必須教導學生，自由絕不是思想行為的放任，而在於心靈的修煉與收放自如，也唯有有意義的快樂，才會帶來真正心靈的充實。」

法務部保護司副司長黃怡君也說：「反毒工作其實應該解決的是人們心理層面的空虛。很多國外的反毒工作，從頭到尾不提到毒品或藥品，純粹提供人們健康的娛樂、運動或輔導。」

自清朝中期鴉片為禍，百餘年來人們與毒品的對抗從未停歇。毒品問題伴隨著社會發展的腳步與時俱進，社會形態越複雜，毒品問題也千變萬化，防不勝防。追根究柢，與其說毒品是一種犯罪，不如說是整體社會健康的指標。

要有效遏止毒害繼續蔓延，已不能單靠過去的嚴打、重懲，或者權宜性的減害、替代治療，而必須從扎根做起，建立全民正確的反毒知識，同時追求心靈的充實。當社會環境與社會風氣獲得淨化、改善，毒品問題自能尋得妥善的解決之道。

碰都不該碰——毒品對人體的破壞性

朱致賢

一九五四年，心理學家奧茲（James Olds）和米爾納（Peter Milner）利用探針刺激老鼠的大腦，想找出什麼地方會讓老鼠感覺不舒服，但因為埋設電擊操作不熟練，產生位置偏差，意外發現老鼠產生愉悅感。

他進一步設計讓老鼠可以透過壓把手獲得電擊，結果老鼠不但學會壓把手，還會穿過迷宮找尋電擊刺激。有些老鼠為了獲得電擊，可以在一天內壓把手五千次，乃至於不吃不睡，直到最後精疲力竭為止。

這個腦中的部位稱為「伏隔核」，後來的科學家陸續研究發現，該處的一個神經核會分泌神經傳導物質「多巴胺」，能對整個腦部任一部位產生愉悅感。

於此同時，科學家一直懷疑人類既然能夠透過嗎啡止痛，腦內應該本來就存在類似的物質。一九七〇年代，腦啡終於被證實發現，同時發現了腦內有嗎啡接受器存在。

人類的大腦只有一千四百克左右，但有數百億的神經細胞。神經與神經之間並不直接相連，而是透過神經傳導物質來傳遞訊息。簡單來說，當大腦發出某種指令的電流訊號，傳到A神經的末梢神經元時，它會釋放出特定的化學物質。這些物質被B神經上的接受器感測到以後，B神經就會發出一個相應的電流，把訊號繼續傳遞到另一端去。

不同的電流訊號，會刺激神經釋放各種不同的化學物質，以便另一個神經辨識訊號內容。這些化學物質被稱為「神經傳導物質」，它們像郵差一樣在腦中傳送各種訊息。而當傳導物質完成了傳訊的任務之後，就會被酵素分解，或者被原先的A神經再度吸收，以免訊號重複發送，或者發送時間過長。

神經傳導物質種類甚多，譬如腎上腺素等各種激素都是。在大腦中常見的神經傳導物質主要有麩胺酸、多巴胺、去甲腎上腺素、血清素、乙醯膽鹼和腦內嗎啡等。它們各自負責傳遞不同的訊息，無論數量太少或太多都會產生問題。

譬如血清素能夠傳遞使人高昂、充滿活力和信心的訊號，如果分泌不足，將會引發不安、缺乏信心乃治憂鬱症，但分泌過多時又會產生幻覺和躁症。多巴胺帶給人欣快感、活力和創造性，分泌不足時會導致帕金森氏症，但分泌過量會引起精神分裂症。

精神刺激藥物的作用方式

人類在發現神經傳導物質及其功用之前，早已經懂得利用許多精神刺激物品來改變腦內的傳導物質濃度。當代醫學研究逐步揭開這些物品對神經和傳導物質的作用，同時透過改變腦內傳導物質治療憂鬱症和分裂症等精神疾病。譬如號稱憂鬱症特效藥的「百憂解」，就是選擇性地阻礙血清素被酵素分解吸收，延長其在體內的作用時間，以改善患者的沮喪與缺乏信心等症狀。

精神刺激物品包括煙、酒、咖啡，和許多被認定為毒品的藥物。依照其作用方式主要可分成三類：令人興奮、鎮定，或者擾亂。

鴉片類的藥物，包括鴉片、嗎啡、海洛因、美沙冬和可待因等，其作用機制和腦啡頗為類似，抑制具興奮作用的去甲腎上腺素，使人感覺放鬆、平靜。

古柯鹼阻斷神經元對多巴胺的再吸收，使多巴胺作用效力增強、時間延長，讓人感覺亢奮、高昂，富有創造力。

安非他命則可促進神經元將多巴胺釋放到神經間隙，同時阻礙酵素將多巴胺分解，使人產生強烈的興奮作用，感覺不到疲勞，甚至可以幾天不吃不睡。二次大戰時日軍還用來提升夜間行軍士氣。

大麻、LSD、搖頭丸等干擾劑則製造現實經驗中不存在的迷幻感受，刺激腦部快樂迴路，或者抑制不快樂迴路。

對動物來說，興奮與抑制作用都有同等重要的功能。面對挑戰時需要提高警覺、集中精神以便戰鬥或逃跑，進食和休息時就需要放鬆肌肉、和緩心情，好讓身體休息。此外，人體內各種化學反應非常複雜，至今科學家仍無法探究完全，前述的神經傳導物質作用方式，只是其梗概而已，對其交互作用的機制仍所知有限。因此，任意使用刺激物質改變體內的狀態，往往會帶來強烈的副作用，乃至造成身體傷害。

疲勞本來是身體的一種警戒反應，提醒人們適時休息，以免受傷。吸食安非他命的人無法感覺疲勞，覺得有用不完的精力，但事實上身體已經疲累不堪。因此當幾天後藥力退去，就會造成身體的代償作用，以及崩潰式的昏睡。

當代研究者透過正子斷層掃描和核磁共振等精密的腦部造影技術，進一步了解毒品對腦部的傷害。美國國家毒品濫用研究院的院長佛蔻（Nora Volkow）發現甲基安非他命（冰毒）會傷害神經元上的多巴胺接受器，同時造成眼眶皮質和前額葉皮質的新陳代謝降低，影響使用者的認知與判斷能力。

雖然短期吸毒者在戒毒後，大腦組織會慢慢復原。但十年以上的冰毒使用者，腦部邊緣系統和海馬迴細胞會喪失將近十分之一，這種病狀和初期的阿茲海默症患者相似。

此外，毒品也會造成使用者暴斃、心血管疾病、升高中風危險，或者在迷幻作用下造成車禍、墜樓等意外事故。尤其近年流行搖頭丸、快克等「俱樂部藥品」，純度差、成分複雜，對人體的傷害更難預料。

毒品最可怕之處在於：成癮、戒斷症狀和耐受性。

長期吸毒者明明身心痛苦萬分，對家人萬般抱歉，但癮頭來時就是無法控制。這是因為毒品刺激神經傳導物質大量分泌之後，大腦會自動減少該物質的自主分泌，以求得平衡。久而久之，體內傳導物質分泌不足，就更加依賴外來物質的刺激，成為毒癮。

同時，當吸毒一段時間後，身體適應成為依賴藥物才能正常運行，一旦停止吸毒，身體無法適應，就會產生各種痛苦的戒斷症狀。

另一方面神經受體常時間接受高強度的刺激，逐漸變得遲鈍，產生耐受性。使用同劑量的藥物，產生的效果會逐漸下降，必須使用更高劑量才能獲得同樣的效果，一步步越陷越深。

成癮行為難以自制

臺北市立聯合醫院松德院區成癮防治科主任束連文指出，成癮者和一般人在思考能力上並沒有差別，但成癮造成藥物使用行為上的障礙，「知道不要用但是行為上做不到」。這種行為控制力的損傷是成癮的主要病症，不過通常成癮者自己並不瞭解，所以在戒毒和用藥之間不斷反覆，到親友不再相信，乃至自暴自棄。

成癮者還有一個特別的現象，亦即在心理的運作上對自己的成癮行為，經常用不負責任或是推卸責任的態度。因為他對自己成癮的行為找不到合理的解釋，當自己清楚知道不應該施打毒品但是還在使用的時候，為了自我合理化，所以常會把自己的行為問題推給別人、推給外界壓力、推給環境因素。

「成癮者經常處於很困難的處境下，他有意願要脫離但是做不到，不瞭解脫離的方法所以實際上脫離不了。我們經常看到成癮者下定決心戒毒，但一段時間又用上了。這不只是意志力的問題，成癮行為的改變是需要訓練及學習的，通常需要足夠的時間及協助才能達到。」

毒品會對人體造成傷害，並產生毒癮、戒斷症狀和耐受性，完全符合醫學上對疾病的定義。早在一九五六年，美國醫學會就已經正式承認成癮是一種疾病，聯合國毒品與犯罪問題辦公室（UNODC）也將毒癮視為一種慢性病。

如果體認到毒癮是一種疾病，社會便能明白，面對病患，動用懲罰不僅無效，也將會浪費鉅額公帑，因而轉為採取更有效也更經濟的政策。而已染上毒癮者，也將能夠擺脫罪惡的汙名，獲得妥當的醫療照顧，徹底戒除毒癮，最終使個人、家庭和社會都受益。

至於尚未吸毒但抱持著好奇心的人們，將能更明確地判斷要不要使用一種會讓自己致病的物質。

反毒生命故事・之一

獄卒，真鬱卒！——劉昕蓉用心輔導受刑人

明含

劉昕蓉，現任臺中女子監獄典獄長的秘書，有著像模特兒般高挑的身材，口若懸河的絕佳口才，和一顆悲天憫人的柔軟心，但她，曾經覺得好鬱卒。

全國有五萬八千多個監獄受刑人，竟有將近六成的人吸毒（受刑人有四成是因違反毒品危害管制條例入獄），每個監獄都超收受刑人。

劉昕蓉亮出手腕上明顯的疤痕，無奈地說出：「我手上的疤，拜吸毒的人所賜。」那是一個吸毒的受刑人，越關神智越不清楚，喪心病狂之下，硬生生咬下別人身上一塊肉，還把出面制止的她咬出一個深深的傷

口，不明理的家屬居然不諒解，還到監獄來厲聲質問，這個大疤痕終身烙印在劉昕蓉手上，讓她不時感嘆：「獄卒，真鬱卒！」

做壞事，一次只害一個人；但製毒，一次害千萬人。

有人在半年之間，因吸毒賣掉一棟價值一千多萬元的房子，也有人吸毒之後心神喪失，拿刀往自己身上劃，或六親不認，砍殺家人。也難怪曾有家屬痛心疾首地說：「這個孩子送給國家了！以後只要告訴我，她死在哪裡就好！」

輔導吸毒者的工作，最難的不是在監獄的生活，而是出獄後又有許多毒蟲主動上門誘惑，很多受刑人一出獄，就去偷水溝蓋，不為換便當，而是換毒品，這就是毒品的可怕。所以，如何讓更生人習得一技之長，透過善的保護網遠離惡友，正是劉昕蓉的最大考驗。

曾經邀請一家知名餐廳，到監獄教受刑人做菜，學得一技之長。沒想到受刑人不屑地問臺上的講師：「你一個月賺多少？」

「加班可以賺四萬多元。」

「哼！我當公主一個晚上就可以賺四萬多元。」

幸好，講師機智地回答：「我們的差別是我站在臺上當講師，妳是穿著拖鞋在臺下聽我講課。」

監獄女性受刑人中，難免有人帶著孩子入監服刑，但劉昕蓉感嘆：「不愛惜自己生命的人，很難叫她愛孩子。」

有媽媽固然是好的，但不是每一個媽媽都是好的。大部分的受刑人把孩子當成博取同情的工具，每天不必到工場上工，只要無精打采地陪在孩子身邊上課，完全沒耐心盡到為人母該盡的教養責任。

常見一百多個受刑人，被關在無聊的監獄中，每個人都搶著把孩子當成寵物般寶貝，或送衣服，或買奶粉，餵得白白胖胖，但孩子的語言能力和情緒反應卻很差，要東西時都以尖叫或哭鬧表達，因為缺乏正向的教育。

社經地位低的受刑人，不斷複製自己的成長經驗在孩子身上，社會的悲劇永遠不會終止。

「我是個好命人，所以要利用自己的好命，多做一些好事。」訪談過程中，這是劉昕蓉出現最多次的言談，看得出來，她是個「知福、惜福、再造福」的感性女人。

她把監獄當作道場，調伏受刑人躁動的心性，讓她們學習腦袋放輕鬆，神經放大條，事事不要斤斤計較，因此即使只有一個枕頭寬的鋪位，也能平靜入睡，因為體悟了畢竟連自己的家人都沒這麼親近，吃喝拉睡全在一起。

曾有一個受刑人，抱怨不能接受同房的獄友出口成「髒」，劉昕蓉告訴她：「耳朵是你的，何苦受制於人？」

「忍耐，就是忍不下去的時候，再忍一下。」這是她經常提醒受刑人的話。

又有一個受刑人，在日記裡幻想著：「如果我是有錢的老闆，我就說：『好吧，員工們，我給你們一百萬，從巴黎開始旅行到普羅旺斯，寫兩本遊記給我。這是支票，這是機票，你們下星期三就出發！』然後我很氣派地抽一口菸，按電話分機給秘書備車，翩然離去。」

劉昕蓉很有智慧地在紙上回應：「如果你這位老闆跟員工說：『好吧，員工們，我給你們三天假，讓你們去做志工或上課充電。』這可能除了氣派，更有一份慈悲，錢很重要，但愛心更重要。」

受刑人善解地回答：「即使未能成為有錢的老闆，但我以成為有善心的老闆為目標。」

也曾有一個被判三個死刑的毒品走私犯，心想反正只剩命一條，因此動輒煽動別人跟獄方作對，甚至敢跟管教人員「嗆聲」吵架，儼然是監獄裡的大姊大。

當慈濟醫院要蓋臺北分院時，有人教大家摺紙蓮花定心性，並用受刑人的名義捐出蓮花義賣所得。這名大姊大仍不改老大姊的個性，自行分配工作，自成一條生產線，久而久之，面相居然也變柔和了！

更有許多受刑人說摺心蓮是最快樂的時候，因為以摺心蓮供養佛，每天付出一點愛心，心靈也得到平靜，也能磨練出耐心，同時也是他們此時唯一能對社會做的回饋。

有位受刑人如此表達他對劉昕蓉的尊敬：「雖然我是『臣』，但妳真的可以讓我『俯首稱臣』，打從心裡佩服。」

另一位受刑人寫信感恩劉昕蓉：「有能力幫助別人的，不見得願意去付出；自私的人太多，願意捨些溫暖給他人的少之又少。我覺得自己很幸運，能在女所被妳管，能聽進妳的話，是真的很有福報。」

曾經鬱卒的獄卒，因為無所求的付出，有了源源不斷的愛的能量，如今她欣喜地看著監獄裡的心蓮，正一朵朵地含苞綻放。

不同的眼淚——觀護志工賴梅春

林佳靜

從體壇健將、教育、多元藝術到公益，曾當選過全國優秀青年的賴梅春老師，不僅多才多藝，更有顆柔軟的心，運用豐富的人生經歷投入公益活動。儘管已年近七十，卻充滿活力，永不放棄對邊緣人的支持與關照！

賴梅春在大學時主修體育，在國中任教後，指導體育團隊、編排舞蹈更獲獎無數。從小擔任女童軍的梅春，在團康、活動策劃及主持，更是有口皆碑。

擔任輔導組長時，領悟到輔導這件事不能立竿見影，也深刻感受到「一個孩子的教育，絕不是只有父母，一定是一個社區、一群人來塑造的」。在教學中，發覺不喜歡接觸書本的孩子，內心的掙扎、矛盾與徬徨、偏頗的價值觀以及反社會的心態，更是旁人無法理解。但是，輔導過程中，梅春愛孩子、孩子信任梅春，足見教誨過程有其獨到之處。

於是，在苗栗地方法院、地檢署成立後，梅春開始擔任榮譽觀護人（現稱觀護志工），輔導青少年和假釋受保護管束人，同時加入更生人保護行列，輔導出獄的更生人；並於九十二年初擔任看守所教誨師，面對面接觸吸毒犯等受刑人。

在女監輔導同學時，梅春一向秉持真誠與用心，為了讓這些社會邊緣人有成長的空間，甚或習得一技之長，她在看守所成立了讀書會、舞蹈班、美容班等；就是希望這些同學們在重回社會後，能堅持良善的意志，讓自己有全新的人生。

梅春凡事認真的態度及悲憫的胸襟，讓她獲得行政院參與監所教化及保護有功人士、全國十大傑出更生輔導員的殊榮。

這近十餘年的輔導生涯，點滴在梅春心頭，曾有兩回，讓梅春流下不同的淚水……

初見小嵐時，小嵐已年逾半百，第五度入獄，美容技術也不比別人好，梅春卻覺得與她相當投緣，真心想幫助她重生。

年輕時的小嵐面貌姣好，嫁得當地紡織廠的小開，生活富裕育有一子，因業務擴展遷居臺北。在繁華複雜的環境中，交友不慎染上煙毒，入監服刑而離婚；前夫並未再婚，在大陸投資，兒子出國深造後返國，小嵐服刑期間的費用，全由三十歲的兒子供應而無後顧之憂。

小嵐與前夫離婚後，與小她十幾歲的男友育有一子，目前已十二歲，由家扶中心安置在寄養家庭。入獄後的小嵐曾說要好好習藝，有了一技之長生活安穩後，就可把聚少離多的小兒子接到身邊一起生活，以彌補自己的歉意。

減刑出獄當天，梅春的心情既興奮又快樂，一大早趕到看守所的戒護區中，想看到小嵐愉悅的表情，並同時送她到何老師店裡重新生活習藝。沒想到，當時小嵐只跟梅春說完：「謝謝老師，明天店裡見！」然後就跳上計程車，從此像斷了線的風箏，一去全無音訊。

之後，梅春從未出監的同學們口中得知——小嵐之前就已計劃好出監後「一夥人」約在飯店開房間「過癮」，根本不屑有無工作，因為大兒子會供應她所有的生活費。

把小嵐出監前所有承諾當真的梅春，在同學的面前哭了，激動地說：「你們怎麼可以這樣騙我！」失聯後的小嵐，在兩年後第六度入監，又被判了一年多……想到她的欺騙、自甘墮落，梅春真是生氣、難過又覺得可悲！

讓梅春流下開心眼淚的，是三度入監服刑、二十三歲的婷婷。

婷婷幼年時由祖母帶大，國中時叛逆翹家、交壞朋友，勉強畢業後在外鬼混染上毒品。父母因為對她的管教問題意見不合而離婚，更因她的不法行為，讓身為警察的父親顏面無光而不予理會。

婷婷不敢抱怨也沒有恨意，在所裡參加「美容技訓班」，希望習藝取得丙級執照，成為更生的動力。她雖然堅強地從不在梅春面前掉淚，但對於出監後何去何從，總是搖頭聳肩。

讓梅春擔心的是，天下沒有白吃的午餐，婷婷服刑期間的費用是由「同夥們」供應！果不其然，出監日，昔日「同夥」守候在外，婷婷害怕之餘，獨自跳上計程車尋求支援。

當梅春聯絡上婷婷時，她已安全在前男友家，梅春請求婷婷前男友儘速帶她離開、北上求職。次日上午，梅春接到婷婷電話，得知她還在家鄉，急忙放下工作向天祈禱，祈求讓設計師兼店長的小薇和美容店老板何老師，能一起幫助婷婷。

是婷婷的重生意志感動上蒼吧！當天四點多婷婷已安全到達臺北並開

始工作，老闆娘認為婷婷工作認真，深獲顧客滿意，也承諾會善待婷婷、讓她過正常的家庭生活。

梅春的輔導心願似乎未了，她希望能幫助婷婷化解父女間的宿怨，期盼婷婷能在心懷感激之餘努力重生。

長久直接接觸吸毒犯，梅春聽多類似的故事，也看多了幾度出入的同學。她希望在邊緣遊走的朋友們，能夠放亮雙眼，拿捏好什麼事可以做、什麼朋友不能交往的分寸；吸過毒的同學們在出獄後，能把握住自己的亮點，不要給自己太多理由與藉口，在遇到誘惑與困難時，要堅定自己的意志力、永不放棄！

除了吸毒者本身，梅春認為，家人的接納、社會的包容，對一個有心更生的人拉他一把，用愛與包容給他們自新的機會，幫助他們再站起來！

而現行法律對販毒的刑責，雖然比吸毒者判得重，但梅春仍認為制裁應該要更嚴厲！因為販毒者為求更多金錢來源，讓自己花用或吸食毒品，會運用各種手段引誘吸毒者墜入沉淪的深淵，不但毀了他們的一生，更造成無數家庭的破碎和社會問題！

雖然，吸毒的更生人能不再回到牢籠的機率不高，但她仍抱持著把同學們當成自己子女的心態看待，對他們永不放棄！每回又得知更生成功的案例時，梅春就會覺得，自己是世上最幸福、最富足的人！

懵懂的代價——沒碰過毒品的「煙毒犯」

林佳靜

從被強暴懷孕到結婚、初為人母的喜悅到家暴離異、找到疼愛自己的男友到被栽贓身繫囹圄、再度得子到發現罹癌、開店重生到被捕入獄、喪夫喪父到出獄後受兒子關照。四十五歲的金嵐，人生有如山巒起起落落；儘管波折不斷，仍改變不了她助人的熱心……

在金嵐十七歲的花樣年華，因家裡當二房東，被分租其中一間房的前夫強暴而懷孕，自此進入婚姻。婚後不久，老公開始家暴，動輒以各種理由打她；甚至連當兵抽到三年役，也怪在金嵐頭上，認為都是金嵐「帶衰」，害他得當這麼久的兵。金嵐一直想離婚，卻礙於男方以毒死兩名幼子威脅，所以隱忍了下來。

家暴七年後，金嵐再也受不了，在女兒五歲時，提出離婚要求，孩子全歸男方扶養。離婚後，男方千方百計阻止金嵐與孩子們見面，但仍隔絕不了母子之情。於是，金嵐偷偷去學校探視，或是用電話響幾聲做暗號，與孩子們保持聯繫。

失敗的婚姻，讓金嵐對男女關係感到失望，再經由朋友介紹下，認識了疼愛她的男友。男友長她十四歲，也有段失敗的婚姻，因為同病相憐，所以彼此相當珍惜這段得來不易的真感情。

民國八十年，金嵐二十幾歲，由於車禍骨折造成鎖骨斷裂，無法做粗重的工作，經由朋友介紹，到朋友開的一家理容院當會計。有一位客人，請金嵐代轉兩包「珍珠粉」到另一家理容院會計小姐的手中。由於金嵐一向相當熱心，再加上這兩包白色粉狀、顆粒狀物品看起來跟一般「珍珠粉」無異，金嵐不疑有它，於是爽快答應。

沒想到送達時，三位便衣刑警接獲毒品交易線報，已在那裡等著逮人；就這樣，金嵐便被警察帶進派出所做筆錄，成了這回交易的替死鬼。

金嵐覺得相當冤枉，不過就是順手幫忙這麼單純的事，怎麼會變得這麼複雜？當時，她一直要為自己辯解，但是警局裡同時有另一位時髦漂亮的小姐報案，整個警局的員警全部湧上，「熱心」服務那位小姐，完全沒有人耐心理會金嵐；再加上當年監視錄影器材並不像現今這麼普遍，對於一位才第一次上門就請託的客人，她不但無從找起，說不清對方來歷，也提不出對自己有利的科技證據。

於是，當日在警局便做完筆錄，金嵐雖然在上頭簽了名，但卻是心不甘情不願。雖已距今近二十年，但對於自己當時被忽略的情景，仍刻骨銘心！

當天半夜開臨時庭，便以六萬元交保，由於她認為自己根本沒有販毒，沒有做錯任何事，也認為每次開庭時都有到場，法官應該不會判自己有罪。當時雖然曾想過聘請律師為自己辯護，但聽說聘請律師開一次庭要花很多錢。經濟上的壓力、不懂法律、再加上自己真的問心無愧，而法官說判決時可以不必到場聆聽，所以金嵐根本不在意判決這回事。

沒想到，最後以「意圖販賣毒品」定罪，兩包毒品分別被判十二年半、五年半，兩件合併計算再減一年，共計十七年。

當判決書寄達鄉下家時，不識字的父母不知是重要信件；而當時金嵐在臺南工作，所以，自己被判有罪也毫不知情，甚至最後連被通緝也不自知。直到有一天金嵐打電話回家，由返家的哥哥轉述，才知道自己被通緝了。

由於全村庄的人幾乎是自家親戚，從小看著金嵐長大，深知金嵐不會做不法勾當；所以，對於警察不時上門盤查相當反感，村民們甚至會集體開車擋住警察的去路。

金嵐總認為自己是受害者，所以就算得知被通緝，也根本不想理會這件事。之後這段期間，和男友生了友士這個小兒子。但礙於自己被通緝的身份，一直不敢和男友辦理結婚登記；也一直拖到友士快上小學時，經請教友人，男友才去辦理認養。

金嵐的人生感覺似又重生，展開新的開始。但在八十八年，金嵐發現罹患子宮頸癌，隔年開始接受治療。

九十年間，金嵐和男友在嘉義做水晶珠寶生意，採買礦石加工後售出。當時，有位客人積欠許多貨款，在向客人追討過程中，客人懷恨在心，向警方謊報金嵐私改槍械，遭到警方盤查，才被捕入獄。

期間，金嵐陸續因化療保外就醫，直到白血球數低於正常人，不再接受化療後，和朋友開卡拉ＯＫ店，又因密報，再度被警察逮捕入獄。就這樣，金嵐在被關一半刑期後申請假釋，共計被關了八年七個月。

回憶起獄中的日子，金嵐跟一般受刑人關在一起，一房約十五人以上。受刑人中，大約十分之七都是勒戒後的吸毒者，所以吸毒人數在女子監獄中算是比例相當高。一般勒戒後的吸毒受刑人都會變得愛吃、嗜甜，再加上作息變得正常，故出獄時往往會變得更胖；由於金嵐是被栽贓入獄，所以出獄時反而變得更苗條。

四級罪的金嵐，每周與男友和兒子友士相會一次。偏偏服刑一年半，疼愛她的男友因珠寶加工的職業病塵肺症往生，金嵐的生活費來源頓時轉落在娘家三位哥哥身上。八年半後，金嵐的父親也因病過世。這兩位最愛她的男人在過世時，金嵐都不能陪在身邊，只能在遠處遙寄心中的哀慟。

對友士來說，讀小學一年級下學期時，母親即入獄；而沒多久，父親也往生，世上最親近的兩個人都不在身旁。雖然同父異母的姐姐大他二十多歲，把他帶大，但仍無法彌補父母沒有在身邊關愛的缺憾。而早熟的友士，因家庭因素，小小年紀就很會看人臉色，就算想念媽媽，也不敢吵鬧。所以在金嵐坐牢的七年裡，只見過友士兩、三次面。

偏偏在金嵐坐牢時，友士正值叛逆期，因朋友慫恿，牽機車給朋友們騎，朋友闖禍後，將友士抖出來；目前，正接受一個月一次的保護管束。

雖然八年多的分離，造成友士一時的遺憾，但金嵐出獄後，每天和小兒子保持電話聯繫，她觀察到，在保護管束的教化下，友士正朝著正向做改變。

出獄後，二十八歲的大兒子怕金嵐與社會脱節，所以常在假日時帶她出外走走，接觸社會。雖然年輕時錯誤的婚姻讓她一度後悔，但兒子孝順是上天彌補她的禮物；而金嵐現在也很珍惜與家人相處的時光，每天晚上都會回山上與八十多歲老母親同住。

觀護人知道金嵐在獄中教手工藝、中國結，所以幫她找了一份在教養院教課的工作，後來因經費不足而停止。現在，金嵐自己找了一份到黃昏市場擔任收銀員的工作，一段時間後，被安排到水果部販賣水果。

金嵐認為，政府對各種毒品的介紹不夠，造成當年她對毒品認識不清，才會被陷害。如果當時她知道這是個陷阱，就能自保。但是，在無知的情況下，如果當年的事件再重演一次，熱心的金嵐仍可能會再重蹈覆轍，這就是她可憐又可愛的地方啊！

現年四十五歲的金嵐，歷經諸多風雨、人生的起落與聚散，目前最盼望的是家人平安健康，能早日全家團聚，享受遲來的天倫之樂……

失而復得的喜悅——用意志克服毒癮戒斷

潘金和

踏出戶政事務所的大門，我心中沒有絲毫的怨懟，坦白說：對於女人的堅韌，我是由衷地感到佩服和難以理解，換成是我，嫁給一個像我這樣的丈夫，能夠挨上三個月，我就把自己當神看了，而她竟然可以跟我在一起，生活了九個年頭，才在完全絕望的心情下，悲情地提出離婚的要求，這樣的寬容，我猜只有菩薩才可能做到。

看著佳虹騎上機車，帶著女兒準備返回娘家，她清瘦的容顏上，滿是無奈後的決裂，我走過去，輕輕地對她說聲：對不起！她淡淡地回句：都過去了。然後發動機車絕塵而去，小女兒天真地回頭，對我揮舞著小手，渾然不知，一個原本可以幸福的家庭，已經被她那沉淪毒海的父親，給一手毀了。

我站在路旁，手伸進口袋，摸到身上僅有的八百元，我再也無法強忍悲傷，眼淚無聲地落下，口中反覆念著：已經一無所有了，終於走到妻離子散的地步，剩下的只是親朋鄰友那鄙視厭惡的目光了。回想自己過去種種的惡行，完全是因為自己沉淪毒海，而又畏懼戒毒所造成的結果。家人也曾經用盡各種方法、幫助我戒毒，包括去醫院住院治療，都是希望能減輕，我毒癮發作時，那令人難以承受的痛苦，進而有朝一日戒掉毒品，可是換來的只是一次又一次的傷心失望。

我茫然地看著路上人來人往，心中想著那個決定，其實在我告訴佳虹，我願意簽字離婚之前，我已經反覆思考了很久，思考後，我決定了兩件事，答應離婚與立下決心戒毒，是因為佳虹說的一句話：請問你能帶給我們母女，什麼樣的明天？這句話深深的刺痛我心，也點醒了我「吸毒者沒有明天」的事實。就因為這句話，使我覺悟，我一定要戒毒，並且是用最直接，最勇敢的方式戒毒。拿僅有的八百塊錢，我走進轉角的便利商店，買了一箱泡麵、一箱礦泉水、一塊肥皂、一條毛巾、一支牙刷和牙膏，付帳時剩下一百多塊錢，本想再買兩包煙，想想！算了！如果連煙都戒不掉，還戒甚麼毒！

帶著買來的備戰物資，騎上我那台快解體的摩托車，一路飛馳到我家在後山的果園，果園偏僻的角落，有一間廢棄的工寮，工寮裡有水，但沒有電，還有一床破彈簧床和一張舊搖椅，我把工寮稍微整理一下，找出媽媽以前留下的鍋碗，把鍋洗乾淨，撿來乾柴，燒了一鍋開水，泡一碗麵，吃完泡麵，我躺在搖椅上，看山邊夕陽由多愁的澄黃，慢慢地變成一片孤寂的漆黑。由於長期吸毒的經驗，我知道！接下來的五天，將會是一場非常難熬的折磨，我靜靜地等待折磨的來臨，我告訴自己：這是吸毒者應有的報應，更是重生之前必經的考驗，唯有刻骨銘心，才能時時警惕。

霧漸漸散去，陽光探出頭來，我身上蓋著破棉被，縮蜷在搖椅上，昨晚因為斷了毒品的關係，開始感到心悸，忽冷忽熱，全身痠痛，上吐下瀉折騰一夜，搞到全身無力。好不容易，終於見到溫暖的晨曦，心想，總算撐過了第一天，就這樣躺著也不想動，到了中午，實在是餓得發昏，才勉強拖著痠軟的雙腳，燒了一大鍋開水，泡一碗麵，又實在是沒什麼胃口，但為了補充體力，還是硬把麵吃完，再利用剩下的開水洗個澡，精神好了一點。

接下來的兩天，都是一樣只能躺在那兒，強忍著螞蟻在我骨髓裡施予酷刑，這兩天媽媽來看過我二次，媽媽只是站在遠處，冷靜地看著我，一會兒才無聲地走開。到了第四天，痠痛漸消去，不再忽冷忽熱，精神和胃口都好了很多，這時我知道！我成功了！不倚靠任何藥物，只憑堅強的毅力，我熬過最痛苦的四天，我堅信！只有承受過椎心刺骨的磨鍊，才會謹記毒品的可怕。歷經這次，我將會是一個全新的我。

第五天傍晚時，媽媽帶來一個飯盒，眼眶泛著淚水，對我說：把飯吃了，早點回家，你很勇敢！說完轉身往果園走去，轉身的剎那，我在母親眼眸中，看到「失而復得」的欣喜，我拿起飯盒，默默地流著眼淚，心裡好高興，這麼多年了，終於又見到媽媽的笑容。

本文原收錄於法務部出版《徵愛無敵——我的抗毒日誌》一書。感謝作者及法務部同意轉載。

懺悔人生——趙坤找回光明之路

楊秋娥

民國七十九年，十七、八歲的春風少年兄趙坤，跟著一大群年齡相近的青少年「趕流行」，無知地吸起了安非他命，原本只是抱著好奇心的他們，無法預料到一旦吸毒之後，身體和心理陷入莫名「興奮」的感覺，直到成癮而無法自拔。

「人吸毒只要六次或三天就會上癮，吸到後來會神經衰弱、無法專心、手會顫抖、精神恍惚，甚至精神失常，要改掉真的非常不容易，奉勸大家千萬不要因為好奇而沾染毒品。」趙坤回憶年少無知跟著朋友吸毒，直到毒癮越來越大，二十歲不到的年齡，就開始注射海洛因。

「年輕時不懂事又叛逆，跟著人家學吸毒，當完兵之後還繼續打海洛因，也多次被關進監獄裡，在臺灣各地的監獄中流浪。」因為吸毒而做了很多錯事的趙坤，不斷地進出監獄，從二十多歲一直到三十六歲那一年出獄，前後加起來將近有十年的牢獄生活。無奈地把人生中最應該奮發向上的黃金歲月，困頓於監獄之中。

「每當毒癮來犯，我就會大小便失禁，全身忽冷忽熱，骨頭痠痛，好像有千萬隻蟲往身體裡鑽，無法入睡，痛苦至極，就算是冬天寒流來襲，沖冷水都沒有辦法壓住痛苦的感覺。」趙坤說起毒癮發作以及戒治的歷程，令人心驚膽怯。

吸毒、犯案不斷，進出監獄的趙坤雖然想要戒掉毒癮，但是每每在出獄後，茫茫無助，也沒有獲得適當的幫助，加上自我把持不住，就受到朋友及環境的引誘，一而再地走上吸毒的回頭路。牢獄生活就像一張無邊無際的網，時時纏縛著他。

「想當年，我年輕氣盛，不知天高地厚，凡事逞凶鬥狠，跑給警察追的時候，連子彈從身旁射過去都不知道害怕，整個人已經被毒品控制住。生活沒有目標，活著沒有希望，做了很多現在想起來都感到非常懺悔的事。」

回想往昔所作所為，述及往日種種不當行徑，趙坤感慨萬分，而且深深懺悔，悔悟自己半生胡作非為，深陷毒海，未曾有過一天正常的生活。

「我最後一次犯案入監的這幾年，內心感覺非常無助，常常看到獄中有些被關了很久的人，他們生活沒有意義，沒有親情和家人的陪伴，窮困潦倒地過一生。他們的悲慘情況，讓我開始思索：難道自己也要像他們這樣過一輩子嗎？我要過這種沒有意義的人生嗎？我要老死在監獄嗎？」

趙坤在獄中看到許多人因為吸毒、犯罪而過著沒有目標的生活，甚至終生窮困潦倒，不僅帶給他極大的震撼，也開始思索自己的未來。

開始反躬自省的趙坤在監獄中勤讀《了凡四訓》，抄寫佛經《大悲咒》，雖然取材不易，加上自己知識背景不足，過程不是很順利。但是，他非常努力克服困難，不斷地努力摸索經文一字一句的意義，再用心地體悟佛教經典中所要傳達的人生意涵。

當他看著週邊獄友的遭遇，再想想自己上半生非正常人的生活，世界彷佛為他敲響了警鐘，「鼕鼕鼕！」聲聲錘擊他的心靈，震落了沾染在心靈明鏡上的塵埃，顯露了內在純真的本性。他捫心自問，自己犯的錯和人生的逆境，不都是「因果」示現嗎？

趙坤經由佛教教義中的「因果觀」深思與悔悟，也給他正向思考的力量，他要藉著正信佛教的力量大徹大悟，決心悔改！他於九十四年下定決心改吃素食，信仰正信佛教。

「我在監獄裡面看到了更生人蔡天勝戒毒成功的故事，也受到啟發，我要向蔡師兄學習，我要下定決心戒毒。起初家人也都不相信，也不抱著任何希望。」然而，當時在獄中要吃素並不容易，他用堅決的心，無所求也不放棄，用願力面對一切困境。

對趙坤而言，因為犯錯而入監服刑是必然的，然而，出獄之後要重新走入社會，卻不是那麼容易，甚至可以說是另一場更艱鉅的挑戰。

「對一個更生人而言，悔改有一個很關鍵的時刻，就是在出獄之後，我們的心裡非常盼望回到社會過正常人的生活，但是又很惶恐，擔心自己是一個有案底的人，社會上卻不願意接納一個曾經犯錯的更生人。」趙坤擔心與感到惶恐的事，就如同大多數更生人所必須面對的議題。

「在獄中的心是死的，不是平靜的。出獄後，在慈濟臺中分會見到佛堂的觀世音菩薩，從來都不哭的自己，竟然淚流不已。」

在姊姊因緣與引領下，趙坤接觸慈濟，他彷彿感受了菩薩累世因緣的召喚，一念悲心從中起，懺悔往昔所造諸惡業，重新找回做人的良善本質，一步一步走向康莊大道。

四年多來，慈濟人的陪伴、關懷與扶持，讓趙坤終於能夠過正常人的生活。

「雖然我的命運坎坷，但是，我也不敢羨慕別人的人生那麼順利、那麼圓滿。因為在我這一生的劇本，我寫了很多無法追悔的錯誤。」

經歷了人生中不堪回首的往事，趙坤更堅信「因果」。如今，在社會上重新做人，每當面臨各種挫折與困難時，就會以『逆境增上緣』來自我勉勵，幫助自己轉念成正向思考。

「回到社會不是那麼容易的，要經過很多心理的掙扎與工作的調適。」趙坤原本暴躁易怒的個性，也漸漸磨練得較為柔軟。「因為『直心即道場』，只有用清淨無染的心，看清人生方向，明白人生都是要經過磨練才會成長，人本來就是帶業而來的道理，相信證嚴上人開示的道理，力行菩薩道，『做就對了！』，就可以不畏難，不怕苦，『甘願做、歡喜受』了。」

毒門悲歌

楊秋娥

「心中最大的慟，莫過於毒海淹沒了家，淹死了弟弟，慟死了父親，毒害之可怕，真像魔鬼般如影隨形，緊追不捨著。」李庭和李湧（化名）的二姊淚眼潸潸地說著。

年輕的李隆夫婦在連續生下兩個女兒之後，暮暮朝朝盼望著還能有兒子承歡膝下，終於在六年等待後，美夢成真。李隆夫婦好不容易生下了大兒子，兩人如獲至寶，欣喜不已，隔年又生下第二個兒子，緊接著小兒子也來報到，全家和樂融融，共享天倫之樂。

五個孩子求學階段，李隆夫婦胼手胝足從事中西各報社派報業，工作認真，任勞任怨，用心照顧家庭，讓家人生活沒有匱乏。他們也很重視子女的教育，希望孩子們好好讀書，將來出人頭地。尤其是大兒子李庭最聰明，頭腦靈活，讀小學時總是名列前茅、成績優異。

「我的父親管教子女很嚴格的，『爬樹怕摔死，游泳怕淹死』，總是禁東禁西。」李庭的二姊娓娓訴說幼年時父親過度的關心與嚴教。

然而，俗諺「嚴官府出厚賊」，正反映出李隆夫婦管教李庭的難處。「弟弟們多希望追求自由，就在我民國六十四年師專畢業，擔任老師那年，李庭進入國中，他糊裡糊塗加入臺北華山幫，交到輟學生、壞朋友，開始吸強力膠、逃學，父親為杜絕李庭的惡友，國三時舉家搬到板橋就讀，但情況並未改善，李庭不想讀書，逃學、逃家，更變本加厲吸食速賜康、打安非他命。」李庭二姊說。

心急如焚的李隆夫婦，常常徹夜未眠，四處找尋孩子，甚至在揪心痛楚之下，莫可奈何地拜託少年隊管教大兒子，讓李庭進了少年觀護所。家人對他的愛與關心未曾稍減，時時去看他、鼓勵他。

三年後李庭去當兵，家人的心情稍微平靜些，但是當完兵退伍之後，又是惡夢的開始。李庭又繼續吸毒，施打毒品，無視父母殷殷的叮嚀，天天猶如行屍走肉般醉生夢死。

另一個殘酷的事實又深深撕裂李隆夫婦那早已受傷的心靈，李庭的弟弟李湧也跟著染上吸毒惡習。

事情演變至此，李家陷入水深火熱的「毒海」裡，大兒子李庭為了要錢買毒，經常六親不認，在家裡大吼大叫地「死要錢」。「父親曾經痛苦地說：『兩個孩子都吸毒，我們父母彷彿活在地獄中。』」看著心力交瘁的父母，李庭二姊和全家人的心都在淌血。

李庭、李湧兩兄弟染毒期間，他們憂心如焚的父母和手足情深的姊姊們，總是用心關懷，協助安排進住戒毒場所，竭盡所能、想盡方法要協助戒斷兩人的毒癮。更於七十七年間，李隆親自教導李庭和李湧二兄弟派報業務，期待給予兩人謀生技能。

「我的父親曾經說過：我對兒子從不放棄，希望兒子承接派報工作，會戒毒，不會總是無所事事。」李湧二姊回憶著。「當時父親生了一場大病，心臟開刀，還是拖著孱弱的身子，在清晨四點多，一步一步艱難地爬到李庭的臥房門口，聲聲呼喚愛兒起床送報，深怕李庭毒癮一發，又不去送報，而斷了謀生能力。」

然而，李庭兄弟深陷毒海，無法自拔，壓得家庭、父母、家人都喘不過氣來。「毒」之可怕，只要一沾染，便難以擺脫毒魔的控制。最是可憐天下父母心，為人子者行事莽撞之前務必三思，絕對不能觸碰毒品而禍及自身與家人呀！

七十九年，李庭因再度吸毒入雲林監獄服刑，父母心中的苦楚，日日縛纏亂如麻，也怕親友知悉恥笑，更擔憂害怕兒子戒毒無成。用愛總動員的家人不怕路遙，勤於探監關懷，只盼李庭能好好戒毒，重新回到社會上過正常人的生活。

八十年七月，李隆因憂慮揪心與積勞成疾不幸往生，時年僅六十六歲。李庭二姊說：「我的父親克勤克儉一生，更沒享過清福，死前還老淚縱橫地說：『希望兒子能毒海重生』！我父親最痛心、最放心不下的，也是李庭和二弟的毒癮呀！」

歷經父親往生的痛楚，當兵回來的李湧決心要戒毒，以慰父親在天之靈，他對母親倍加孝順，日日噓寒問暖地關心著，怎奈毒癮如魔、如針刺、如蟲鑽，日日啃蝕著他的身體與心靈。他在手札上寫著：「毒太難改了，我怕拖累母親及家人，毒害我走上不歸路，我對不起大家，既然改不了，我只有以死謝罪。」

抱著自殺的弟弟，看著斑斑血淚的遺書，家人大聲痛哭。八十一年十一月，李湧悄悄地結束年輕的生命。縱然家人萬般不捨，可怕的「毒魔」依然扼殺了一條寶貴的生命。

相繼喪夫、喪子，且大兒子李庭又入監，李庭母親的椎心之慟，最是難以言喻，縱有其他子女陪伴，但家中低迷的氣氛、凝結的冷空氣卻久久不散。

「李庭在獄中，我總是不停寫信勉勵他，也許是『家書抵萬金』，深深親情的呼喚感動了李庭，也讓頓失慈父及手足的他，痛定思痛，大徹大悟決心戒毒。」李庭二姊說。

出獄後，李庭遠離毒品、改邪歸正，於八十六年結婚，母親天天叫醒李庭去上班，她才安心。李庭努力、自愛與負責的工作態度，獲得佳人欣賞，順利娶妻生子，在大懺悔之後，他深深感恩能夠有成家立業的一天，不僅對於妻女照顧有加，並且樂善好施，於水災後總是捐米、捐便當地付出，也進入戒毒診所捐糧並陪伴病患，更長期提供午餐餐費給弱勢的學童，且時時捐助需要幫助的育幼院。然而年紀輕時不知毒癮危害之深，沾染之毒早已如萬箭穿心一般，將身體重要器官傷害至極。

九十四年初，李庭先是因為發現胰臟瘤而開刀，出院後，卻是身心俱疲且痛楚難耐。此時此刻，李庭拖著油燈枯竭如風中殘燭般孱弱身軀，殘酷的毒癮竟如夜叉又趁隙而來，發作起來，令人痛不欲生！「毒害已傷及自己的生命，我不能再傷害最親的妻子、女兒及家人。」李庭二姊隱忍著心痛，訴說大弟所下的決心。

「他決定回到三總住院戒毒，但一進三總就沒有出來，半年內與胰臟癌搏鬥，全身瘦骨嶙峋，可憐又痛苦不堪。不幸於九十五年與世長辭，時年才四十六歲。即便毒癮令人無法自拔，但是他用最大的勇氣面對，克服戒毒的痛苦，所以他是抗毒、抗癌的鬥士。」李庭二姊對於大弟的往生不捨，卻也讚歎他是一位懺悔錯誤，努力悔過且助人無數的勇者。

「毒癮難戒，毒害一生，毒海會淹沒家庭的幸福、淹埋健康的身體、毀沒前程和事業，甚至斷送自己的生命。」淚眼滂沱的李庭二姊，藉由親身之慟，殷殷勸戒大眾「毒海沉淪、血淚斑斑」，期待勇者無懼，人人堅拒毒之危害！

如果還有來生——一位戒毒者的自白

佚名

我居住在馬來西亞的一個村莊裡，從小家境貧寒，小學五年級時就輟學到社會上謀生，做過很多不同的行業，也參加過幫派。

自小貧困的生長環境，讓我一直存有自卑、虛榮的心態。二十一歲時，因為工作關係，誤交販毒的朋友，在毒販慫恿和金錢利誘下，踏上錯誤的第一步，我開始販賣毒品；也曾經走私過毒品，但沒有做成交易。後來因為知道毒品對人的危害很大，離開那份工作後，就沒有再跟那位毒販來往。

但是，我和毒品的關係並沒有結束。在家鄉有一群一起長大的好朋友，我曾跟他們提過販毒的事，而這些好友當中，有幾個曾經有過吸毒經驗，他們找我要毒品時，就在好奇心和朋友慫恿下，我也染上吸毒惡習，從此，墮入毒品的深淵。

一九七九年，我因吸毒首次遭警方逮捕，被判入獄三個月。出獄之後，本想洗心革面，重新做人，無奈心念和意志力不夠堅強，一次又一次地重蹈覆轍。

由於吸毒，我前後入獄四次。一九九三年五月，在一次驗血中，我被檢驗出是愛滋病帶原者，聽到這個消息，簡直像是五雷轟頂！我無法承受這個打擊，情緒也變得非常低落，更不知道該如何去面對未來的日子。

十二月，我的病情開始惡化，再次被送進戒毒所的醫院治療。但因母親被機車撞傷，弟弟又要工作，所以家人都不能來看我，加上病情的壓力，讓我相當煩惱，情緒也非常不穩定。第三天我向院裡的患者借了些錢當車資，衝動地逃離醫院。

我不敢回家，逃至離家鄉一英里的小村莊，然後打電話給母親，希望她能來接我。母親找到我時，見到我瘦巴巴的模樣，嚇了一跳，她勸我回去自首，我堅持不肯，請母親為我找中醫。

我在離家不遠的一個廢棄豬圈暫時住下，以前我常在這裡吸毒。第二天一位吸毒的朋友就來找我，我忍不住又跟他一起吸；第三天晚上正準備吸毒時，就被警方發現捉回，再度被判入獄八個月。

新年之際，母親、弟弟和侄兒們到牢中來看我，我坐著輪椅出來見他們時，看到淚水從母親慈祥的臉龐流下來，我感到相當難過，勞累她老人家大老遠跑來探視，實在對不起她。

我的病情一直沒有好轉，服刑期間並曾再度入院。五月二十四日服刑期滿後，再被送去戒毒中心。之後，我因病情沉重，提早獲釋。

六月九日家人來接我回家，但是愛滋病讓我感到非常自卑，不想住在家裡，於是又去住在那個豬圈裡，家人每天都為我送來三餐。

由於住的地方環境、衛生情況都很差，另一方面家人也擔心我再染上毒品，提議我去住院，可是只住了三天，我又回到豬圈，直到母親為我找來一位中醫，我才搬回家裡。

在這十多年吸毒生涯裡，雖常心生懺悔，想要戒除毒害，但每次都失敗。毒品吸了之後，會讓人沉醉其中，但毒癮發作時，會感到全身痠痛、發冷發熱、無力，手腳肌肉彷彿針刺般，也會流鼻涕、眼淚、打呵欠、嚥不下東西，還會嘔吐、下痢、睡不著……等。

我非常明白毒癮發作的痛苦與辛苦，但每次都自我安慰：沒關係，吸一次就好。可是只要一碰觸這種東西，通常就會無法自拔，一次又一次地嘗試，終至上癮。

吸毒之後，為取得購買毒品的經濟來源，臉皮變厚了，不懂得羞恥，什麼話都說得出來，無法約束自我言行；毒癮發作時，就會不擇手段去騙、偷、搶、勒索、收保護費等，做出一些傷天害理的事，然後躲避警方耳目，過著提心吊膽、躲躲藏藏的日子，甚至因為共用針筒染上愛滋病……等，一切煩惱與苦果，都嘗盡了。

誰願意沉淪毒海？吸毒其實是一種空虛的幻覺，只為貪圖一時的快感，自甘墮落，一切都是心癮在作怪，為了貪圖吸毒之後飄飄然的感覺，一次又一次地迷失了自我。

相信每個吸毒者都知道，可幫助戒毒的藥物很多，但只能治標並不能治本，戒毒的過程也並非那麼容易。然而，以我個人戒毒的經驗而言，心念如果能專一，以信心、毅力與勇氣，時時警惕自己，善盡做人的本分，懂得用心去分析、瞭解、體會毒害的可怕，就能提起決心脫離毒品的控制。

未來的日子裡，只要一息尚存，我一定會把握機會學習，更希望透過自己的現身說法，讓正處在吸毒邊緣的人，能夠反省自己，改過自新，珍惜美好的人生，重新做人。

從心防治・遠離荼毒

締造無毒家園

陳美玲（心昀）

「聞毒品色變」，是近幾世紀以來人們共同的心聲。不論是平面或影音媒體，幾乎每天報導的新聞中，都有一項社會事件與毒品有關，或是販毒；或是吸毒者犯罪；或是因毒而衍生家暴、醫療案例等，其親友往往成了直接、間接受害者。自十八世紀以來，因毒品而產生的犯罪問題層出不窮，毒品與殺、盜、淫（娼）被視為四大民害，深深影響了社會安全。

臺灣吸毒人口日增，對象除了社會高度關懷成員外，不乏醫界、軍警界與各業界名人等中上流人士，年齡層從十歲至八十歲均有之。法務部保護司主管表示，這些因毒品被關在獄中的人，百分之九十會再回籠。令他們感到氣餒的是，不論如何費盡心思，效果總是微乎其微。

有位檢察官說：「我的工作是緝毒，可是我覺得我們好像有『抓』不完的毒販；而晨曦會同樣有『救』不完的個案。一些統計數據顯示，每年緝獲的海洛因，都是上百公斤的量。目前海洛因市價是一公克約一萬一千元，毒販走私一次就是好幾公斤，這表示市場的需求是永無止盡的。站在一個緝毒人員的立場而言，實在是有些灰心。」（錄自基督教晨曦會劉民和牧師演講詞）

自雍正年間起，官方對於吸毒販毒者的態度，向來是採重罰與強制勒戒，但效果有限，當毒癮在人體神經系統流竄時，可謂「生命誠可貴，毒品價更高，為求毒品故，生命皆可拋」，他們寧可冒生命危險也要得到毒品，即使命終之際，仍渴望「再注上一劑」。近幾十年來，許多公益團體透過宗教力量、田園生活等方式協助吸毒者從改變環境、心靈成長方面戒毒，有些吸毒者因此重生，只是就整體面來說，吸毒人數未減反增，反映新吸毒者不斷增加，埋下社會生態無形陰影。

究竟如何才是解決之道？不妨回歸事相原理。談到毒品，與其說讓罌粟花絕種可解除毒品危機，不如了解一項觀念，即是任何一種物品一旦成癮，都會對人產生負面影響，罌粟花滅，還會再有其他替代品，而人對某些物質成癮的背後都有它的故事。

這些故事有些來自外在誘因、有些迫於坎坷際遇、有的則是情緒未找到適當宣洩口，有些源於價值觀偏差等。幫助「已成癮」與「將成癮」和「未成癮」的人們，擁有健全身心的生活態度與建立尊重自我生命的價值觀，是我們更需要重視和努力的課題。

面對新吸毒人口攀升與年齡層下降等現象，預防重於治療的工程刻不容緩。曾經是毒品猖獗的上海，近幾年從省到鄉鎮，從社會到社區乃至學校，全省同步進行預防工程，透過校園宣導、鄉村野臺劇等方式，做思想上的宣傳，近十年已有明顯效果。

在臺灣，始終重視人們身心靈環保的慈濟，數十年來透過慈善、醫療、教育、人文等面向，在學校與鄰里間存下深厚的愛的存款，面對臺灣社會一大隱憂的毒品問題，自民國九十八年起，慈濟教聯會推動「無毒有我」宣導活動，培育宣導的種子教師與大愛媽媽，全省走透透，腳步一舉，迴響四起，號召了更多有志於救心救社會的親師，為締造無毒家園的目標一齊併進。

壹、迷航

一、從一件社會新聞談起

九十六年七月二十三日，臺大植物病理與微生物學系副教授謝煥儒，騎車經過河濱公園時，突然遭到剛減刑出獄的煙毒犯楊振堂瘋狂攻擊，雖被送往三軍總醫院急救，最終仍傷重不治。

其妻張美瑛接到消息後，從花蓮趕回臺北見丈夫最後一面。當她緩緩走近丈夫大體旁，首入眼簾的竟是：「他十根肋骨全斷，腦殼都破了……」張美瑛語帶哽咽地說，但學佛多年的她，不忍丈夫帶著仇恨離世，在第一時間選擇原諒，輕輕在丈夫耳邊不斷叮嚀：「爸爸，我們原諒他！原諒才能放下！」

而肇事的楊振堂，有二十多項毒品、搶奪、竊盜等前科，九十五年五月因吸食安非他命被判刑入獄，九十六年七月十六日假釋，七天後犯下此重刑。被補時，他赤裸的上半身佈滿刺青，兩眼恍神，數小時不發一語，彷佛不知自己已闖下大禍。直到下午四點，才喃喃自語說：「對方是壞人，要打我！」但一會兒又改口說：「我什麼都不記得了！」據其供稱，出獄後因沒錢買毒品，改食強力膠，根本無法記得發生什麼事，即使警方將證據攤在眼前，他仍無法交待自己究竟是怎麼打死謝煥儒教授！

逝者已矣，家屬椎心之痛難彌。在警方交給張美瑛的遺物中，有張謝煥儒買麥片、果汁，為孩子張羅早餐的發票，好爸爸的影像油然浮現腦海。事發時在家裡接到警察電話的，是謝教授念大二的二女兒，她哭著說這種人不值得原諒；大女兒對著報紙上楊振堂的照片一直畫叉，寫著：「雜碎雜碎雜碎！」剛升高二的小兒子，每天晚上要躺到父親的床上才能睡著。面對最艱難的時刻，張美瑛說：「我要如何仇恨一個不知道自己做了什麼的人？」

這則新聞震驚了臺灣社會，吸毒者宛如社會中的不定時炸彈，當沸沸嚷嚷議論吸毒者是否能假釋時，受害者家屬張美瑛用寬恕取代責備，為社會樹立了最佳典範，感動了相似際遇的受害家庭，讓他們從仇恨中解脫，受傷的心靈得到釋放。

只是得到原諒的楊振堂，在恍惚的世界裡，是否能了解簡單「原諒」兩字背後的沉重意義，它是需要家屬用一輩子的時間來撫平心中不可能忘卻的創痛；是社會對他深切期待能從毒海中跳脫。

謝教授付出生命的震撼，無疑敲醒了人們麻木的心態——毒品問題不再只是屬於吸毒者與他們的家庭，而是整個社會乃至全人類，也敲響了社會問題的警鐘——這只是吸毒產生的悲劇千萬分之一，然而，社會上還有多少個楊振堂在黑暗的角落，反覆上演著傷害親人、無辜者的劇碼？

二、迷失生命的方向

當毒癮來時，因著對毒品的強烈亟求欲望，往往讓吸毒者喪失理智，泯滅人倫，反覆沉淪。現任臺中女子監獄祕書的劉昕蓉陪伴無數吸毒者走過黑暗，看到他們因毒而變調的生命讓她既氣憤又心疼，在說不盡的個案故事裡，曉君（化名）給人的印象最深：

第一次看到曉君時她才二十歲出頭，細白的臉龐散發著青春的光采。她說因一時好奇，在朋友慫恿下吸毒，原本只是玩玩，沒想到一頭栽下去就戒不了。我鼓勵她利用這次入監服刑的機會，遠離那些朋友。曉君說這會是他人生唯一一次囹圄體驗，她絕不會再進來了。

就像大多數的吸毒者一樣，再次入監像是難逃的宿命，曉君又來了。才幾年不見，曉君卻像老了十幾歲，毒品對人的摧殘真是可怕。往日青春洋溢的臉龐，如今變得枯黃乾瘦；大腿根部的股動脈附近皮肉，因反覆施打毒品已感染潰爛；更糟糕的是，曉君的精神狀況明顯失常，她有嚴重的幻聽和被害妄想。

曉君的父親是退休的老榮民，他一直沒辦法理解原本乖巧懂事的女兒，如今卻是矯正機關的常客。他只能拖著老邁的步伐，轉坐二、三趟公車，到監獄來看曉君。

我們的勸告和親情的呼喚並沒有讓曉君脫離毒海，最後竟因向父親索討金錢買毒不果，憤而持刀刺死父親！

看到這類故事，不禁要問，是什麼原因讓原本為家庭、社會生力軍者，遇見毒品後，有著判若兩人的轉變，是什麼原因，讓他們明明知道毒品不可碰，卻仍選擇陷入不可救拔的毒淵？原因千百種，大抵不出以下這些因素。

（一）認知不足，外境欺誘

有人會問：「毒品這麼可怕，到底怎樣才算是中毒癮了呢？是吸毒第一次，還是第二次……」人人知道毒品不可碰，但是有更多人深信：「那是吸毒者意志不堅，換做是我，就不會被毒品控制了！」當人有了這個念頭，或起好奇心與嘗試心時，事實上就已經中了毒癮，瞬間從天堂掉入地獄。

三十而立的允文是企業家第二代，岳父在地方也頗有名望。他婚後創立一家貿易公司，員工多達三、四百人。然而就在事業蒸蒸日上時，繁忙的工作和跑不完的應酬讓他身心俱疲，這時朋友百般誘惑，加上他自以為可以不被毒品控制的心態，大膽地嘗試了參有海洛因的香煙。

剛開始果然十分提神，但上癮後才發現自己無法克制，不僅每天吸毒費用暴增到四萬元，公司的業務也一落千丈，終致破產，而他也因毒品交易被捕入獄一年八個月。

其妻為了養育三名子女，放下身段到醫院當特別護士，子女時常只能以泡麵果腹。允文曾在孩子面前發誓不再吸毒，但毒癮發作時依然還是偷了女兒的項鍊拿去當掉……（允文的故事重編撰自賴樹明著：《永不放棄：一對異國夫婦的反毒告白》，培真文化出版。）

允文在正常環境中成長，發展事業，原本有大好前途，卻因一時受朋友慫恿誘惑，不知毒品的成癮性足以讓半生成就毀於一旦，最後竟讓圓滿家庭破碎，公司破產，殃及下一代的未來。

朋友的誘惑是吸毒者接觸毒品很重要的媒介，許多是為了尋求情感、認同支持者，對認同他們的朋友充滿崇拜依賴，以致是非不分；也有不少是明知不對，但因不願失去友誼或以鴕鳥心態想：「他應不會害我。」而落入毒阱。

然而他們共通特點在於對毒品危害性與成癮性的危機意識不足，在對錯間抱持僥倖心理，認為自己有足夠意志控制毒品，殊不知有此念頭時，已走進毒品魔手中。

（二）缺愛的生命，尋找出口宣洩壓力

缺少愛為滋潤的生命，就像少了潤滑劑的機器，容易摩擦損毀，難以安定，他們是社會群中高關懷份子，也容易成了法律邊緣人。缺愛的人容易偏激，誤把虛情假意當真愛，甚至為了得到愛，不惜任何後果。

「小百合」就是一個這樣的孩子，為了尋求認同，認非為是，賠上貞操，受人擺佈，最後自甘墮落毒海中。在醫院見到她的護理長回憶裡，盡是難以言喻的心疼：「她是被綁進醫院的，蒼白無一點血絲的臉孔上布滿驚恐與痛苦的神情。……小百合是個可憐的孩子，家中唯一的哥哥為了養家，為了年邁老爸的藥費，還有每週都得上精神科拿藥的媽媽跟姐姐，根本沒有多餘的心思花在她身上，才會讓她走上這條不歸路……。」

小百合對於自己出生在一個有精神疾病家人的環境非常不平衡，認為自己在同學面前抬不起頭來，只有在網路上才能夠交到朋友。她在聊天室認識了自稱「一匹好狼」的鐵仔，對方總在她脆弱無助時安慰她，小百合因此隻身到臺南去找對方。不料，經過短暫的美好生活後，鐵仔下藥迷昏小百合，並且和幾個朋友輪流加以性侵害。身心受創的小百合只能繼續和鐵仔廝混，甚至被逼出賣肉體賺錢，最後沉迷在毒品中麻痺自己，步上媽媽跟姊姊的後塵，被送進精神醫院接受治療。（小百合的故事重編撰自廖德琇、陳渲璁、翁世恆著《躲在書包裡的死神：青少年毒品問題訪談實錄》，臺北，東佑文化出版。）

像「小百合」際遇的少女只是冰山一隅，在吸毒群中還有一群被稱為「雛毒」（未滿十八歲的女性吸毒者），他們接觸毒品最常是來自缺愛的成長環境，有些是原生家庭結構不完全所致，有些則是學業低成就而被師長、同儕排擠。

他們或用乖戾行為引人注意，或自暴自棄。遺憾的是，這些雛毒往往與雛妓是一人雙重身份，有的無奈墮入風塵，選擇以毒品麻痺內心痛苦；有的則是為了買毒品，選擇出賣身體，「心」的出離讓「身」與「靈」也同時出軌，走上不歸路。

（三）坎坷際遇

同是一父母所生，習性與未來發展各有不同；更何況天下芸芸眾生，命運亦有差別。有的人含金湯匙出世，一生順遂；有的人則是一出世即漂泊孤獨，身不由己，面對飄如陌上塵的際遇，選擇麻痺心理來逃避現實環境帶給他們的恐懼與挫折，毒品的魔爪也因之趁虛而入。

出生在花蓮縣秀林鄉的阿秀，相當活潑漂亮。母親喜歡酗酒賭博，每次吵架時都將怨氣發洩在阿秀身上。更不幸的是，在她升國二那年，母親竟為了買酒需要錢，把她帶到花蓮市一家色情理容院上班。

在理容院裡，姊妹們為了解愁或麻痺自己肉體所受到的傷害，不時以安非他命做精神依靠，又看到一些尋歡客使用安非他命後興奮陶醉的表情，阿秀也開始嘗試毒品，且毒癮越來越大，吸毒費用一天就要三、四千元，不得已只好開始接客……

此後她幾乎很少用餐，多半是靠安非他命度日，每當毒癮發作，她就會精神恍惚，甚至產生幻聽幻覺，有時還會以為別人想殺她，無緣無故大喊救命或拿刀亂刺。（阿秀的故事重編撰自賴樹明著：《永不放棄：一對異國夫婦的反毒告白》，培真文化出版。）

故事中的阿秀也曾想掙扎走對的路。但毒癮對人體的控制遠超過阿秀的想像，也少了貴人牽引，最後仍不得不成為毒奴。

像阿秀一樣被原生家庭視為搖錢樹的少女，還普遍存在社會弱勢群中，亟待大眾伸出援手救拔。倘若社會上的人都能多一分警覺、多一份大愛，類如阿秀的不幸，即能免於發生。

（四）偏差價值觀

追求高生活品質是每個人的夢想，尤其在都會花花綠綠世界，人際間計較、比較心態，往往讓人迷失了自我的方向，忘卻生命真正的價值，而將自己置於汲汲追求虛浮生活中，在「盲」目的「忙」碌地追求走在時尚尖端時，「茫」然不自覺地走進黑暗的泥沼中。

祐嘉擁有大學國貿系的優秀學位，畢業後立刻找到總經理祕書的工作，原本擁有大好前途，但因為瘋狂購買名牌，積欠了超過五十萬元的卡債。在強大的催繳壓力下，她下班後到朋友倩如的pub兼差。

祐嘉雖然有了不少額外收入，但持續購物使得卡債總也還不完。某天，倩如要祐嘉幫忙朋友從泰國帶一批減肥藥丸，不僅提供機票與食宿，還給她五萬塊零用金。

祐嘉答應了，順利地帶進五萬顆搖頭丸，也賺進大筆佣金。三個月後，又如法炮製一次。第三次，她已知道帶的不是減肥藥，就要求加碼到十萬，但被要求帶更多數量入境。不料在海關處遭查獲，從隨身行李中起出三十萬顆搖頭丸，市價超過四千萬元。

祐嘉原以為她只是幫忙帶入境，並非自己買的，罪應很輕。當她知道搖頭丸屬二級毒品，意圖運販者可處無期徒刑或七年以上有期徒刑，併科新臺幣七百萬元時，她瞬時崩潰，為了虛華，付出了無法承受的代價！（祐嘉的故事重編撰自廖德琇、陳渲琝、翁世恆著《躲在書包裡的死神：青少年毒品問題訪談實錄》，臺北，東佑文化出版。）

除了物質價值觀的偏差，令人心疼的尚有愛情價值觀的迷茫。在因毒品觸碰刑法的受刑人中，不乏是對法律常識不足，加上為愛犧牲的勇氣，讓他們背下沉重的徒刑，在矯正署裡的真真就是這樣的例子：

真真的父母在他小學時即離婚，父親不久後再娶，雖然繼母對真真很好，但真真很怕與繼母感情太好，會對不起媽媽，總是刻意跟家人保持距離。上了國中後，因為對課業沒有興趣，輟學去學美髮。離開了家又渴望被關心，很快地交了一個男朋友，不久就同居在一起。

男友不務正業，偶爾會施暴，但真真都以他很愛她為理由，原諒男友。男友販毒，她會幫忙接電話，或一起去做毒品交易。男友常常告訴真真，她還未成年，萬一被警察捉也不會有事。真真認為愛男友就是為他做一切事，所以當警方破門而入時，真真馬上將桌上的毒品往身上藏，在警訊筆錄上也供稱毒品是她所有。

父母到少觀所來看真真時，真真還很天真地安慰他們自己不會有事，並要求父母除了為自己請律師辯護外，也要為男友請律師。我們為真真解釋相關的法令規定，請真真一定要說實話，不要誤信男友的謊言。十七歲的真真因販毒案被判處十二年徒刑，接獲判決書後她痛哭失聲，癡情的她為了另一半，鋌而走險以身試法，等到被判了重刑才知後果嚴重。這不是「問世間情是何物，直叫人死生相許。」的風花雪月，而是青春夢斷的慘痛教訓。

其實在監獄內，這類為愛入監的癡情女為數不少，無論是十七歲或是三十七歲，他們都為純純（蠢蠢）的愛付出慘痛的代價。人生不能重來，

這樣的教訓代價實在太大了。（劉昕蓉秘書提供案例）

上述故事裡的主角，在似是而非的觀念中，走偏了路。刑期有時盡，毒癮無盡期。這群迷失人生方向的人，在毒海中載浮載沉，需要情感支持他們乘風破浪，更需要智慧為他們引航，才能讓他們不再在自覺與迷途中反反覆覆，不再讓「毒癮」隱隱作弄。

貳、引航——愛與關懷的力量

吸毒是面象，真正癥結在成癮背後的動機，解開這個枷鎖，吸毒者的生命才能得到救贖。解鎖人還是繫鎖人，親人與周圍的人都是能為他們解鎖的貴人，而解鎖之道無他，惟有「愛」與「關懷」。

親情無悔的愛，是支持吸毒者重新站起極重要的動力，這是一條漫長的路，吸毒者的反反覆覆總是考驗親情的耐性與支持度，接受他、面對他、引導他、祝福他，是每位吸毒者家屬必經心路歷程。

社會人的接納與關懷，能協助吸毒者建立自信與重新走入人群的勇氣，這並不是件容易的事，過程中需要人人提出道德勇氣與智慧應對每個吸毒者拋來的考驗。當家庭與社會願意共同用「愛」織出支持與信賴的「關懷」網，為他們新生命引航，這鼓力量將能幫助他們破毒浪而出，航向新的人生。

一、一扇永不關闔的門——家

家有吸毒的人，對整個家庭來説都是難以言喻的沉重，常聽到家屬無奈表示：「每次他一吸毒，他在幻想的天堂世界我卻是真實活在人間地獄裡，提心吊膽，不知道等一下還要因為他的恍神而發生什麼事？曾經他戒過毒，那段日子好過多了，孰料那只是暴風雨前的寧靜，等到他又找上那群朋友時，吸得更兇了。我們可以找的單位都找了，怎麼就這麼難戒斷呢？」

當家中一位成員吸毒，全家需費盡所有心力陪伴抗毒。是親情將他們連在一起，不捨放棄，但卻又是親情竟相傷，讓他們飽受心理的折磨。在陪伴道上，家屬慈悲與智慧的抉擇非常重要。看到家人為毒品這麼痛苦，又說了一口懺悔詞，家屬很容易在憤怒後起悲憫心，覺得他很可憐，於是一再姑息資助他，欺騙自己相信他有能力自救，結果不是幫助吸毒者，反而是「受吸毒者支配」，姑息只會讓吸毒者越陷越深，更不幸的還有家人到最後也一同沉淪了。

至親無悔的愛與陪伴，是支持吸毒者戒毒成功最重要的推手。更重要的是角色扮演與情感收放，在角色上需表現出同理與寬容的接納，接受吸毒者在蛻變中的兒態、無理取鬧；但在情感上必須是理性的，堅持吸毒者受戒的態度必須嚴肅，讓吸毒者在對家屬情感依賴下，服從家屬堅持所安排的對的事，熬過戒毒期間毒癮發作的鑽骨之痛與遠離吸毒環境，他們才能進一步重新走入社會，營造新生。

二、心的救贖——宗教力量

宗教團體在救拔心靈工程上，向來扮演舉足輕重的角色，對於吸毒這區塊亦然，但礙於對當事者與其家人的保護，許多故事均留在陪伴志工心中，不輕易說開。

許多吸毒者走進或轉介至宗教團體輔導時，他們對人的信任已是微乎其微，態度往往桀傲不馴，並帶挑釁在在考驗團體的耐性。此外，有些吸毒、販毒者已被黑社會控制，致使來到宗教團體裡，黑道人士仍會找上門。花蓮主愛之家的張麗英說，她曾接到恐嚇電話要她放人，但她不畏懼也不報警，不料數日後，果真有六、七名黑道兄弟來到主愛之家，一進門即不分青紅皂白大罵一頓，接著分頭找人，碰巧那時廚房有位同工正在幫兩名戒毒學員餵飯，態度相當親切有耐心，他們受感動了，放低語氣且禮貌的表示：「我不把她帶回去了，請妳代我告訴她好好在這裡休養，過去的事情我也不追究了。」說完還捐出一百元做為奉獻。這是極為幸運的，事實上，有很多時候，他們必須提出極高的道德勇氣，為這些吸毒者對外劈荊斬棘。

宗教對於吸毒者的輔導從全人出發，不離愛與關懷，除了藉由藥物幫助吸毒者戒斷外，更著重心靈工程，讓吸毒者重新認識自己是獨一無二。信仰，使吸毒者感受到超自然力量的愛，會寬恕與接納他們的一切，讓他們願意面對懺悔；團體中的人際關懷，讓一直認為是被社會唾棄的他們受到尊重的對待與接納，在被保護的環境裡學站、學走，學習新生活。

三、為蛻變鋪路——社會關懷

是吸毒者也好，或是因其他因素而成為浪子想迷途知返的人，重回社會，最在意的無不是：「社會能接納我嗎？會不會定標籤？」他們必須要一次次說服自己去適應異樣眼光，也往往在這個時候，有的人放棄，重回錯誤泥沼。

曾是吸毒者，如今已成為素食店經營者的蔡天勝說，當年的他受到證嚴法師感召，出獄後想行善卻始終不敢踏入：「來到了慈濟臺中分會，想實現行善的心願，卻在外面繞了三圈都不敢進去。他怯怯地提醒志工楊秋霞，自己有吸毒被關的前科，不知有沒有行善的機會？楊秋霞一聽，哈哈大笑：『這算什麼，我以前還開過酒店呢！』」因為一份同理與接納的心，讓蔡天勝知道慈濟不會排拒他，放下了心中的罣礙，對走正途有信心，勇敢揮別毒友，但是，就在他與人合夥、帳目不清時，曾被人諷刺：「被關的人還想查帳？你怕我們，我們才怕你呢！莫名其妙！流氓就是流氓啦！學人家做什麼慈濟，學的都是假的啦！」也曾讓他氣得差點功虧一簣。但為了想要多做一些好事，他忍下這口氣，主動跟志工到綠島監獄輔導吸毒者，或寫信鼓勵獄友。後來他更與甫出獄的林朝清、袁志忠等人，跟人合股開起素食餐館，致力協助更生人重生。

社會的支持是協助吸毒者建立自信最重要的一環。一如廖坤永所說：「我們這種出來混的，在別人眼裡是廹廹人、邊緣人，誰看了都怕。但在環保站裡，大家卻把我當家人、當自己的孩子，不但不介意我的過去，還百般地疼愛。」就是這份大愛能讓千仞鋼化作繞指柔，柔軟了他們看似頑固實是脆弱的心。社會角色，除了關懷，更需要智慧引導。除了引導他們遠離原來吸毒生態環境外，亦需協助這些人找到奮鬥的目標與生活重心，轉移他們的注意，發揮良能，才能漸漸脱離不堪回首的過去。

參、領航——「無毒有我」開啟預防教育先驅

吸毒對中國乃至世界的影響，已超過三世紀，且有日益沸揚徵兆。影響力擴及社會未來主人翁——吸毒者的下一代。

從個案背景觀察，毒品與性交易常是一體兩面，除了從事這類工作者

需要毒品麻痺支撐體力外，許多少女是在pub或夜店等場所，因好奇愛玩而被誘惑吸毒，吸毒後又任意性交，有時到臨盆還不清楚自己已懷孕，連孩子的父親是誰也不知道，往往懷了孕，依舊沉迷在吸毒與性氾濫裡。

十九歲的小華懷孕了，因為在國二那年認識阿國一票有「道義」的朋友，帶她逃離沉悶的苦讀世界，他們沉浸在激情裡，忘情地吸食毒品。為了買毒，四處販賣盜版光碟，賺越多，毒就吸得越多。到了十八歲時，小華已拿過兩次胎兒，這一次，因發現時已經六個多月，沒有醫院願動這個手術，她只好將孩子留下來。

挺著大肚子，加上毒癮發作時的痛裂，小華無法找正常工作，為了不該來的孩子，只好到公園當流鶯，即使僅有五十、一百元也只好接了。直到孩子出世，她親手剪開維繫與孩子間的那條臍帶，找出包包僅有的一件衣服給孩子包上，吻了這無緣的孩子，將她放在醫院旁的電話亭下，期望善心人出面。

只是這可憐的孩子，由於母親的過錯，患有嚴重的先天遲緩症，沒能來到寄養家庭，而是被送進教養中心……（小華的故事重編撰自廖德琇、陳渲琝、翁世恆著《躲在書包裡的死神：青少年毒品問題訪談實錄》，臺北，東佑文化出版。）

看著鐵窗裡的幼童，在監所服務的成員，最大的感嘆是：「我們擔心孩子的將來該怎麼辦，媽媽卻想著出監後去哪裡買毒品。」這些孩子還未出世，就已注定要為父母的荒唐行為付出代價：

志豪的爸媽都是吸毒者，媽媽並沒有因為懷孕而戒毒，所以志豪甫出生就因戒斷現象被送進加護病房。先天不良再加上爸媽沉迷毒海，志豪常常有一餐沒一餐的，剛入監時黑瘦骯髒，八個月的他看起來像三、四個月大的小娃兒。

除了發育遲緩之外，志豪常感冒、消化不良，身上也常長出各樣的疹子或濃疱，好不容易治好了，過一陣子又長出來。我們看了很心疼，但是孩子的媽自顧不暇，長期使用毒品及服用大量精神科藥物，使她整日呈現昏昏欲睡的狀態，孩子的尿布溼到連被子也溼了一大片，她也不知道要幫孩子換尿布；餵孩子喝奶時，隨便塞到孩子嘴裡讓他吸個兩口，就放在一旁，常常一天就是那一瓶牛奶反覆讓孩子喝。

智豪的媽媽顯然不適任母職，我們請媽媽為孩子的將來著想，請社會局介入，安排孩子出養或寄養。但是智豪的媽媽認為孩子可以讓她申請到補助，而且有孩子在身邊，她在監比較輕鬆，所以不願意讓孩子出養或寄養。（劉昕蓉秘書提供）

這些故事均非偶例，有越來越多低齡兒童接觸毒品的來源即是原生家庭，他們本身就是吸毒者。在北市某國小一位志工媽媽，得知慈濟推動「無毒有我」毒品預防教育宣導活動時，即感恩地說：「這太重要！太好了！我班上有兩個孩子曾跟我說，他們很害怕回家，問了很多才知道，他們一回去，都是看到父母躺在床上吸毒，那樣子很可怕，來往家裡的人的樣子也令他們很害怕，卻不知道怎麼辦，學校雖有輔導老師輔導，可是孩子畢竟跟父母關係最親，怎麼辦？我好害怕他們有一天也會被父母利用或步後塵……」

另外，慈濟大學校長、小兒科教授王本榮也感嘆地搖頭，在診間看到有些小孩的症狀，明顯知是大人惹的禍，把大人請進來詢問，果然就是吸毒者……面對國家棟樑，直接、間接都受到毒品的危害，豈能不令人憂心社會的未來？

人人均知應重視此問題，禁毒防毒的政策不斷推陳出新，就近一世紀的中國言之，南京政府採「寓禁於徵」的政策，意思是向毒品犯徵收高額稅金，但這對減少毒品泛濫並無實際效果。此外政府亦採禁毒入關、禁止栽種罌粟花、加強查緝等策略，只見禁毒機構越設越龐大，但吸毒者仍遍布各角落。近年政府也推出以美沙冬替代法來協助吸毒者戒毒，但令現今政府機關最頭痛的問題即是：「這些吸毒販毒者被抓被關，一旦出獄，他們即已與藥頭連接上，但警方卻找不到藥頭。」毒品問題彷彿像雪球般，不論如何盡心力，仍越滾越大。

在民間，清末時已意識到毒品的危害性，透過禁煙民謠、順口溜、竹枝詞等來呼籲民眾毒品不可碰，傳教士在方面也功不可沒，他們強烈請求英國女王停售毒品至中國外，也利用教會向信徒宣導毒品的危害性。

民國十三年八月五日，由民間成立的中國拒毒會誕生，是由上海總商會、中華教育改進社、江蘇省教育社、中華醫學會、中華全國基督教協進會與中華基督教青年會全國協會等六大團體發起的禁毒團體。除了演講外，還在教育日計劃把拒毒內容編訂教材，在學生中實施拒毒教育。並組成婦女界家庭拒毒勸導團，以勸導其丈夫子女拒食鴉片。近幾十年，晨曦會在香港、加拿大、泰國、臺灣等地陸續成立據點，旨以宗教信仰力量協助吸毒者戒毒，另有花蓮主愛之家等，亦以福音戒毒，咸受社會肯定。

但，協助吸毒者戒毒只能說是防毒第二道線，戒的前身已接觸毒品，面對成癮性強的毒品，完全戒斷需要相當毅力以及家庭社會全力支持做後援。什麼方法能讓這問題減少發生？該怎麼做才不只是消極勸戒？

一如環保議題，資源回收固然可以救地球，但若不減少資源消耗，不僅永遠有收不完的回手品，且地球資源仍持續耗竭。對於毒品問題，唯戒心毒，社會才能無毒。除了協助吸毒者戒斷，減低他們復出再製造社會不安事件外，更重要的是啟動預防工程，且是全人全國全面性的預防宣導與正確價值觀的教育。

這項觀念在十餘年前於上海，也有相同的呼籲，預防為本的宣傳，透過興設禁毒教育館、學校毒品預防教育、社區禁毒宣傳教育與特殊場所禁毒宣傳等四面向進行。整體宣傳方面，透過人們娛樂媒介——戲劇與影視做禁毒宣傳，以喜劇滑稽方式呈現，吸引人們的重視。到了西元一九九七年，中國國家禁毒委員會和國家教育委員會聯合發出通知，要求對大中小學生進行毒品預防教育，施教於未然，至一九九九年，該市已有百分之八十一點六學校展開禁毒的預防工程；同步民間的大藥房配合宣傳，退休人員自組「老媽媽禁毒隊」在街道里弄間挨家挨戶做義務宣導。

二〇〇三年，興建多年的「禁毒教育館」成立，免費對外開放，展館以「珍愛生命，拒絕毒品」為主題，以青少年教育為主要對象，採用實物、圖片、互動音像光電模型和多媒體技術，對一般民眾進行禁毒法制教育和科普教育。同年起，毒品預防教育納入中小學課程體系，列入學校德育和生命教育重要一環。社會的婦聯團體發揮聯繫家庭優勢，推動「平安家庭」建設，針對婦女、青少年展開防毒宣導與教育工作。大家齊為「毒品離我鄉」而努力。

在臺灣，預防教育平日已落實校園的宣導與演講等活動，自民國九十八年（二〇〇九）起，慈濟教聯會一群志於淨毒的老師、大愛媽媽與志工們，在總幹事陳乃裕號召下，啟動「無毒有我」活動，設計多媒體影音與書面教材，透過毒品常識的宣導和預防說明，避免民眾、家庭、社會陷入毒品的危害，並教導大眾六招拒毒工夫：「堅持拒絕、苦肉計法、自我解嘲、道德勸說、轉移話題、走為上策」，以及防毒六法：「一、生活作息正常。二、建立正確的情緒抒解方法。三、遠離是非場所。四、不接受陌生人的飲料、香菸。五、不靠藥物提神與減肥。六、絕對不好奇使用毒品。」

短短一年時間，共計舉辦大型「『無毒有我』種子師親培訓研習活動暨教材研習活動」六場，參與成員兩千九百一十八名；這群種子足跡從北而南，乃至外島金馬地區，在九十九年一年內至三百九十七所學校、三千四百六十三個班級舉辦「無毒有我」教育宣導活動共一千三百五十場，互動人員高達十萬八千餘人次；另於社區舉辦「無毒有我」專題研習，嘉惠一萬二千餘人；此外，尚與法務部、教育部與民間機構團體共同舉辦特映會，從校園至社區，深入性、全面性宣導。

宣導過程，感人的故事、成長的足跡不斷湧現。志工黃明民因為兒子曾深陷毒害，現身說法，發願要參與一百次宣導來迴向給迷失的家人。

陳協興一家四口一起來參與研習，他表示：「嚴肅的議題，活潑的帶動，讓大家對反毒有深入的認識，比起電視廣告更能吸引小朋友專注學習。」陳太太說：「帶孩子一起來參加研習活動，對父母有很大的幫助，反毒廣告只呼口號，孩子不易深入思考，參加研習可讓孩子靜下心來思考，對毒品的危害更加瞭解，自然不會去碰觸毒品。」陳柏儒小朋友說：「參加活動收穫很多，讓我知道毒品會危害身體、傷害大腦，不能隨便嘗試，我以後絕不碰觸毒品，還要將所學的知識帶回學校，當校園反毒尖兵。」

此外，家長林弘義亦說：「看見反毒標語，只能教小朋友向毒品說『不』，不能深入教導小朋友為何要如此做。今天的研習教小朋友如何拒絕毒品及深入瞭解毒品的危害，對反毒教育有很大的幫助。」

年幼的洪祥恩從課程中了解不能為了瘦身或提神去吸毒，而危害自己的身體；不可到網咖，因為空調裡有可能加毒粉而吸入，更不能大意地喝離開視線的飲料，要遠離是非場所。

另外，參與學員中不乏吸毒者家屬，傷心的張薏玲（化名），心疼妹妹從國中吸毒到現在已三十六歲，身為大姊的她痛苦萬分，在家常因為妹妹的事與先生吵架。所幸，在活動上，得到感同身受的春美老師給予溫暖的擁抱，讓她宣洩內心的無助。

參與種子的老師們，成長感觸尤深：

記得多年前，曾經有一位家長到學校找我，因為我學生的姊姊在國中就讀，成績非常優秀。有一陣子卻嚇得不敢上學，每天都藉故生病不想上學，母親瞭解後才知道是因為女兒班上的好朋友希望她加入幫派，每天來騷擾及威脅她，如果不加入組織就要對她施暴不利。母親到校問我怎麼辦？我建議她每天上、下學都要接送，父母做生意雖然很忙，還是每天持續接送了一個月，可是下課還是無法制止同學找她，孩子又不敢上學，於是我又建議讓孩子轉學，父母決定放棄明星學區轉到周邊較不熱門的學校，誰知幫派還是不放過她的女兒，追蹤到她轉學的學校門口堵她。最後，父母決定放棄打拼多年的臺北生意，然後賣掉臺北的房子，舉家遷到花蓮。

我的學生畢業後曾經回來看我，告訴我他們過得很好，姊姊跟他都考上了一所很不錯的學校。看到袁志忠師兄吸毒、戒毒，家人不離不棄，慈濟人幫助他重生的故事，每每讓我想到了這位學生與她母親的因緣，因為父母的智慧與堅持而避免了自己的孩子誤入歧途。

每次「無毒有我」課程分享過後，總有家長跑過來跟我述說他們的經歷，有的因孩子的回頭是岸，及時變好而笑容滿面；也有家長因孩子還陷入毒流中，未能解救出來而淚流滿面；讓我每次講課後在與家長們的交流中，彷彿也經歷了人生一場又一場的洗禮，讓我的感觸更加深刻，責任更加深重，也讓我了解了孩子們隨成長而來的挫折與困境，常常會把自己隱入無形的玻璃罩中，成為瓶頸而無法自拔。家人一句輕柔的話、一個溫暖的眼神，一個結實的擁抱，一份愛的鼓勵，對這些迷失的孩子尤其重要。

所以我們在每一場「無毒有我」的研習分享中，常常語重心長、不厭其煩地呼籲父母、老師們一定要時時關心自己的孩子、學生。在青少年懵懂的歲月中，總會遭遇到很多大大小小的困難與挑戰，只要有師長們蒼勁的手、有力的胳膊陪伴，他們就會有正確的人生方向而不會向毒品靠攏，上人告訴我們：「人生最大的懲罰是後悔」。不要等到孩子被毒品殘害後，才落入痛苦不堪的深谷中求救無門。上人也告訴我們：「要活得健康，重要的是心理健康，人生才會幸福」。

愛的力量，真的比什麼都有用。最後，僅以蕭水銀教授對學員們耳提面命、朗朗上口的四句口訣：「心花朵朵開，善念處處在，好眠跟著來，煩惱永不在」與大家分享。（文：張芬凝）

法務部保護司張裕煌科長參與後，看見盛大的研習場面，非常感動。他說：「看見這樣的場面，讓我覺得下一代有希望。毒品會衍生偷、搶的犯罪行為，慈濟協助辦理反毒活動，對社區、對青少年有很大的幫助，可以防止毒品進入社區及校園，防止吸毒新生人口的成長。」

毒品的氾濫充斥在社會的每個角落，在每個人的生活裡，一不小心都有可能被毒品上身，對於毒品的常識與預防，更為重要。證嚴法師期勉：「每人都要以戒慎不恐懼的心，做好善導與膚慰的工作。」慈濟這樣無毒有我工程已啟航，帶領大眾，共為締造無毒家園的目標繼續勇往前行。

活動項目	活動場次	參加人數
「無毒有我」種子師親培訓研習活動暨教材研習活動	6	2918
2010年01-06月「無毒有我」教育宣導活動	1063	80393
2010年社區「無毒有我」專題研習	16	12369
2010年法務部「無毒有我」特映會暨影後與談	13	5160
2010年教育部「無毒有我」特映會暨影後與談	30	8470
2010年其他「無毒有我」特映會暨影後與談	4	1663
2010年社區「無毒有我」特映會	77	18168
2010年學校（機構團體）「無毒有我」特映會	352	119615
2010年09-2011年01月「無毒有我」教育宣導活動	287	28011
2011年無毒有我特映會與教育宣導活動	160	41834
2011年慈濟大學學生推動希望工程校園毒品防制教育宣導活動	4	450
2011年慈濟大學學生推動花蓮小學校園毒品防制教育宣導活動	14	762
2011年燦坤【無毒有我特映會】	20	2155
2011年慈濟大學泰國姊妹校交流活動無毒有我教育宣導	4	1996
總計	2050	323964

慈濟教聯會「無毒有我」系列宣導活動成果（統計到2011年9月17日止）

反毒生命故事・之二

大愛媽媽發大願——黃明民分享一百場反毒心得

明含

大過年，黃明民跟先生依往例開夜車，趕在大年初二當天回花蓮娘家歡聚。突然娘家客廳中的電話響起，先生急切地將她叫出去，語調不尋常，愛面子的她，故作鎮定地告訴姊妹們：「我家老爺在叫我囉！」

沒多久，她轉身急急地向姊妹們告辭，昧著良心撒了一個大謊：「公婆吵架了，婆婆正在鬧自殺！」

經常鬧自殺的婆婆，讓她有了最好的藉口，可以保住顏面，馬上趕回家面對另一個更不堪的事實——兒子居然躲在家裡吸毒！

「兒子國中時，獲得演講比賽第二名，講題是『向毒品說不』，沒想到，高二時，他開始吸毒……」

原本乖巧的兒子，在國三那年因為親近惡友，加上換導師，諸多不適應下，轉學到了另一所勤教嚴管，素以體罰出名的私立學校，但升學率很高。沒想到兒子的成績敬陪末座不打緊，還經常被師長同學誣賴，不時被對號入座，另眼看待，甚至數度被體罰成傷就醫。

有一次黃明民接到通知，說兒子抽菸，要她到學校去。當她看到兒子被罰雙手放在欄杆，嘴叼好幾根菸站在走廊上時，故意視而不見，冷漠地從兒子眼前走過，直接去找老師，然後卑躬屈膝地一味道歉，忘了該先膚慰兒子的傷痛，讓他有被疼惜的感覺。因此母子的關係，漸行漸遠，只能不時感嘆親子相差三十幾歲，無法溝通。

學測前一個多月，學校懷疑他的兒子拿刀刮老師的車子，還說他踢壞販賣機，兒子被勒令轉學，因此心情受到了影響，只考了一百三十幾分。

黃明民特地請一個月假，天天陪他到圖書館、夜讀，但第二次也只考了一百五十幾分，勉強被分發到一所私立中學，學校雖不會體罰，但教官要求生活細節，兒子處處被約束，於是動輒離家、翹課，生活日夜顛倒、徹夜不歸，甚至偷騎母親的機車，無照騎車出了車禍，休學在家，氣得先生大罵：「就當成沒生這個孩子！」

黃明民過去常自許親子關係重質不重量，但連連受挫之後，她開始檢討自己，於是把面子丟一邊，主動打電話向專家學者求救。儘管孩子的行為越來越偏差，上半身刺青，騎贓車，但她不敢苛責，低聲下氣煮麵線為他去霉運，時時提醒自己修正口直心快，動輒說教的習氣，只求孩子走回正途。但兒子剛出院，還跛著腳，就跟狐群狗黨小張攪和在一起，甚至吸起毒來了。

她心知一定要把兒子送去戒毒，否則禍害無窮，但一拿起電話要報警就後悔了，怕兒子恨她一輩子。

直到有一天，兒子告訴她：「妳不用打電話報警，我要去戒毒了！」原來他跟小張被警察臨檢，驗出有吸毒的跡象，即將被送去戒毒了。但事件發生時，到底是誰從地檢署保他出來？雖然兒子已成年，但明民直指這是法律的一大漏洞，會讓很多家人錯失及時制止的關鍵，直到上癮後就更難補救了。

接到法院的通知後，黃明民允諾一定陪兒子去報到，但兒子竟然失蹤潛逃，成了通緝犯。所幸透過朋友的關係，終於把他接回家裡了。

但回家的隔天，一起窩藏的狐群狗黨全數被警察逮住，只有兒子僥倖成了漏網之魚，此時他才恍然大悟，原來自己差點被小張出賣了！那天小張出門前一直交代他不可離開，知道他返家後，還氣得抱起兒子的電腦往地面砸下去，想必是他已密告警察上門一網打盡。十幾年的交情，兒子終於認清小張的真面目，悔不當初！

黃明民主動聯繫了書記官，送兒子去勒戒。隔天與先生去探視時，見兒子已經理了大光頭，心裡實在很不捨。兒子接受勒戒的那段日子，明民和先生沒有錯失任何一次的會面，又見很多去探監的家屬，都來自不識字的弱勢家庭，連會客單都要拜託別人填寫，於是心裡發願今後要多關懷社會的暗角。

怕兒子出獄後，打的不是家裡的電話，而是毒蟲的電話，因此黃明民經常打電話去監獄探詢兒子出獄的時間，弄得監獄不勝其擾，誰知可憐天下父母心？

接兒子出獄那天，見很多受刑人都是孤單走出監獄的，沒有家人來接，心想他們會回家嗎？還是又投入黑社會的大染缸？兒子此時也知道自己有多麼幸福了！

怕兒子出獄後又沾毒，黃明民買了試管，每週主動幫兒子送檢驗尿，次數多到連檢驗所都給特別優惠價了。兒子起先會用茶水充當尿液，想要蒙騙過關，但她已老練到一摸溫度、一聞氣味，就知道兒子耍詐，他只能乖乖就範，哀哀求饒。

後來她更發現同樣的尿液，送到不同的檢驗所卻有著不同的結果，她不知是什麼原因造成的？於是大費周章改託慈濟大學賴滄海教授檢驗，且持之以恆，不敢稍有鬆懈。終於，兒子開始長肉變胖，生活作息也正常了，她這才確認他已徹底遠離毒品了。

參與了慈濟教師聯誼會「無毒有我」的宣導之後，明民單純的媽媽心，卻有著萬丈雄心，希望全天下的孩子都不要吸毒，期許每個人都是反毒種子，就由她自己做起吧！於是自備巧克力，發願要到校園分享一百場，卻處處碰壁。

因此不懂電腦，一拿起滑鼠身體就會一直往後倒的她，用母親的心情，慢慢以鍵盤敲出一封文情並茂的信，懇求老師給她機會，終於感動了老師，慢慢建立好口碑，在四個半月的時間跑遍近二十所校園，圓滿她一百場的心願，她更願終身當反毒志工，與毒相抗。

曾有親友不屑她家醜外揚的做法，但她認為：「我盡力了，但他有他的業力，我還是要活得抬頭挺胸。」

兒子也曾反彈，但她告訴兒子：「知道你吸毒的人，早知道你沾毒品了；不知道你吸毒的人，並不知道你媽是黃明民，怕什麼？何況反毒宣導是一件好事。」

如此終於瓦解了兒子的心防，還主動寫信關懷獄中的毒友，或經常去陪毒友的媽媽，從此更能體恤親心了，現在，連先生都支持「反毒」是她此生的功課。

「當戒毒的人再碰毒品時，不代表戒毒失敗，因這是一個過程。」

「孩子吸毒，不能誤解家裡都沒人教，其實不然。」

「怕面子掛不住，就幫不了孩子。不要怕警察上門，是孩子重要，還是面子重要？」

「感恩兒子的不幸，成就自己的好緣，我比別人幸運。」

黃明民站在臺上侃侃而談，感恩兒子給她這一部活生生的教材。一場又一場，情真意切的認真模樣，令人動容……

送行者——盧縑伴子脫毒海

明含

「受了電影『送行者』的影響，他說他出獄後要當『禮儀師』，因為兒子跟男主角一樣，都是喜好音樂的落難人。吸毒，導致他的肺功能受損，首席小喇叭手的榮耀，十五年內不可能恢復……」

電話那頭，盧縑含淚娓娓道來；電話這頭，筆者的心為之一震，陪著落淚，腦海裡盤旋著她拎著六大箱行李，護送兒子入境的堅毅，心裡想著「送行者」的主角，其實應該是她。

四十年前，迪化街一個小工人的女兒，同時考上了北一女與師專，這樣的殊榮轟動了整條迪化街。

幾年後，如願當了老師的她，在阿嬤的力主下，嫁進了迪化街的大戶人家。但這椿門不當戶不對的婚姻，卑微的家世背景不見容於婆婆，四十年來，婆婆除了不曾正視娘家一眼，更每在盧緁住院開刀時，便拉著兒子商議要幫他物色新太太，終於，盧緁崩潰了，得了憂鬱症！

她在淚眼中仍發願以貓咪為師：「牠一聲『喵』，我學一聲『媽』，乘著家裡沒人時偷學，想要學會貓的柔順以取悅婆婆。」只可惜緣分不夠，至今這個學分仍然沒有修補得很圓滿。

大兒子求學一路順利，小兒子也以音樂專長，榮獲臺北市少年組小喇叭第一名，到加拿大深造，寄住在同事家。每逢寒暑假，盧緁便迫不及待地想出國陪他，也逃離婆婆的視線。

原本計畫退休後就要移民國外的，但受到慈濟志工紀媽咪鍥而不捨的精神感召，全心投入慈濟志工，後來竟然成為孕育校園大愛媽媽的第一顆種子，經常受邀上臺分享。然而有一回在臺上演講時，她卻當眾崩潰，痛哭失聲，說自己再也沒有資格站在臺上跟大家分享，因為她的小兒子竟然在回國服完兵役後，因好奇接觸了毒品！後來在婆家也因為她的小兒子吸毒被關，有辱婆家秀才門第家風，讓她在婆家始終抬不起頭，導致她的憂鬱症數度復發。

小兒子有著人來瘋的個性，一進花花世界就著迷了，退伍後，經常跟朋友流連夜店。忙著在慈濟當快樂志工的慮縑，無暇管束他，一方面心想都服完兵役了，一方面心想他已長大了，不需再為他操太多心，給他太多的框架。

直到租車行跟地下錢莊陸續上門，催促家人還車還錢，一切開始不對勁了。緊接著他又不時上演失蹤的戲碼，打手機也都不回應，一回家就是要錢。從此，惡夢連連，打亂了慮縑一家平靜的生活。

半年後，小兒子更是帶回來一個嬌嗲的女友，身後還跟著一個來路不明的小男孩，小兒子說他女友身世可憐，跪求父母接納她。儘管先生與大兒子都極力反對，但盧縑見其楚楚可憐，也擔心小兒子又離家失蹤，於是接納了她與小男孩暫住家裡。可是女孩生活不檢點，經常與小兒子睡到中午，夜歸吵到鄰居。一日盧縑趁兒子洗澡時，悄悄上樓與那女孩懇談，那女孩事後不知說些什麼，兒子竟抓狂下樓，原本個性溫良的兒子，竟然狂摔家裡的東西，然後帶著女孩與小男孩揚長而去，從此又是幾個月不知去向。

迷途的孩子，老是忘了回家的路；倒是地下錢莊，像趕不走的蒼蠅般，不時穿著黑衣上門騷擾，惡行惡狀，驅之不去，盧縑只能一次次代為償還。

或許是積善之家必有餘慶，一日登門的歹徒認出客廳懸掛的證嚴法師法像，兇狠的臉部線條頓時變得柔和。他們允諾盧縑，今後不再借錢給他兒子吸毒，更好意告知盧縑，可以到中和找到兒子，並提醒一定要制止兒子再與女友交往，因為她的江湖味很重，氣質跟兒子不相配；況且那女人的家裡有三人吸毒，全把兒子當「肥羊」宰割，一定得遠離。

得到消息的盧縑，跟先生到中和繞了好幾天，終於找到兒子的住處，誰知第二天兒子竟又偷偷搬走了，一年半來避不見面，缺錢時就回家偷，哥哥換掉家裡的鑰匙之後，他轉而編出各種可憐的理由，到處跟親友招搖撞騙，直到朋友來電探詢，才一一揭穿真相。

一日盧縑剛收功德款回來，他尾隨入門，形容憔悴，以為浪子回頭了，誰知她一換好衣服，兒子竟已偷走她的錢揚長而去，讓她欲哭無淚。

盧縑到處求神問卜，還狂燒了八萬元的金紙，祈求兒子回頭是岸。家人都以為她發瘋了，不可理喻，她只能含淚無助地抱著貓咪哭訴，或在三樓對著菩薩說話，只想問兒子還活著嗎？

沒多久，女友的弟弟強行要幫兒子注射海洛因，想用最昂貴的毒品控制住這頭肥羊，將來他們更可以對盧縑予取予求了。兒子當然知道他們的計謀，抵死不從，掙扎之間被女友的弟弟打斷了手，盧縑得知後急速送小兒子回到花蓮慈濟醫院開刀，出院後盧縑趁機帶兒子回靜思精舍小住幾天，拜託精舍師父勸導開啟智慧。誰知兒子抵擋不了毒癮，聯絡女友，女友居然連夜僱車到精舍，把他從後門偷偷接走了，這一來，又失蹤了幾個月。

這一天，全家正在吃飯時，門鈴按得好急，兒子狼狽地爬了進來，要求代付計程車費，原來他又被女友的弟弟踹傷，導致腰骨斷裂無法站立，只能負傷回家求助送醫。

這次他終於看穿女友無情的真面目了，痛下決心分手。他把手機交給母親，斷絕所有毒蟲的連絡，每當毒癮再犯，全身發抖流冷汗時，便要盧縑把手腳綁起來；先生也陪兒子游泳散步。盧縑還在嘉義山上借了一間小木屋，陪兒子戒毒，但他每天都會痛不欲生地衝出來，想往山崖跳下去。最後在親情的支持下，終於，兒子戰勝了毒癮，一年後戒毒成功了。

多虧朋友的協助，邀兒子到大陸發展，徹底遠離臺灣的毒蟲，且可發揮英語的專長，享有優渥的待遇。在大陸工作了兩年，兒子終於恢復他的信心了。

誰知好景不常，此時竟又接到法院的通知單，原來，保釋在外的他，還是得回臺接受有期徒刑。兒子當時不想回國入監，朋友也叮嚀慮縑不要逼他回臺，因為大陸太大了，失蹤後就再也找不回來，於是，在拖延之下，他成了通緝犯。

學佛後的慮縑，深知「如是因，如是果」，每天用MSN連絡，和他耐心的溝通，希望兒子勇敢回臺面對，以免人生永遠背負包袱。更何況，如果他成了通緝犯，二十年後才能解禁入境，那時父母以及他最愛的外婆不一定還健在，怎麼忍心讓家人望斷天涯路？

終於，在一次一次討論下，兒子想清楚了，願意回臺服刑，只希望不要在機場被戴上手銬。慮縑堅強地為兒子回國服刑做到最周全的準備，為了護送兒子回臺服刑，為了給兒子最大的力量，她一個柔弱的婦道人家，扛著六大箱行李，勇敢地緊挨在只能背著電腦受檢的兒子身後，含著淚水眼睜睜地看著兒子在她面前被航警帶走。

最後，兒子被輾轉送到臺東服刑，兩年來盧縑夫妻每個月固定在第一個週日開車七小時，從北投前去臺東會面，只為了安住兒子的心，讓兒子明白家人對他不離不棄的情，監獄裡的兒子被一家人濃濃的愛和關懷包圍著，盧縑每天寫日記似地寫信給他，所以家的溫暖始終沒有和獄中服刑的兒子脫節。

皇天不負苦心人，兒子入監後從原本的心浮氣躁，到虔誠唸經懺悔修心，每週寫信回家撒撒嬌，或告知家人他現在的成長和體悟。媽媽的信、兒子的信，編織成一串串綿綿不盡的愛。

雖然首席小喇叭手的榮耀光環不再，但他現在在監獄裡吹陶笛，自娛娛人。盧縑雖然心疼，但，也只能坦然接受，畢竟平安就好，真的，平安比什麼都好。

重生——揮別那段被毒品和藥頭控制的日子

陳佳惠

「怎麼都不會動，是不是死掉了啊……」媽媽搖著我聲淚俱下：「阿惠，妳回來，就算全世界的人都遺棄了妳，媽媽永遠愛妳！」淚從我眼角滑落，我全身無力，想開口說：「媽，我沒事。」但混沌中又昏迷了過去。

吸毒者的天空，即使晴朗的時候也蒙著一層灰，這一層灰堵住生命的通路，靈魂找不到出口……我嫁了一個毒窟家庭，也跟著吸毒，慢慢地沒了工作，散盡了積蓄，偷拐搶騙樣樣來，我成了娘家的女兒賊。費盡心思掏空爸媽的錢，搜刮家裡的財物；打孩子、罵髒話、摔東西，媽媽也因我成了親戚朋友中的罪人，為我常遭爸爸的怒罵。不論爸爸是將我關起來，用繩子捆綁或用狗鍊鎖住我，我還是想盡辦法極力掙脫，去尋找毒品的快活。

毒的鬼魅凌駕了我，痛苦、悔恨、無力感，在沉浮毒海九年中一再地交錯。丈夫吸毒被通緝時，我跟隨他東藏西躲，睡在土地公廟、陸橋下、河堤邊，冷風蚊蟲伴隨，望看遼闊的星空：「我，陳佳惠，為何淪落到如此淒慘的地步啊！」

丈夫被捕後，留下懷孕的我與兒子，毒癮也一天比一天嚴重，在走投無路下淪為「車手」，以換取「四號」（海洛因）苟延殘喘過日，也因此被我的老闆控制，如受困的野獸，成了傷天害理的幫助犯，整日心驚膽顫無力反擊。剛生下的女兒因我嗑藥，差點命喪我手中；丈夫在獄中因猛暴性肝炎住院，「老闆」又遏禁我探望，痛、恨、怨、悲、滅的思緒全湧了上來。痛，我的大逆不孝；恨，毒品的桎梏；怨，行屍走肉的傀儡；悲，家破人散；滅，前程是鏡花水月，萬念俱灰下我將「老闆」交待外送的

「藥物」，吃的吃，打的打，決定一了百了。

在搶救後，爸媽不離不棄地守護，這個刺傷他們最深的女兒。我是自私的，只想到自己的苦自己的痛，從沒有想到過周遭的人和我一樣苦、一樣痛。我決定戒毒，師母也適時在旁（我租屋的鄰居太太是虔誠基督徒，我尊稱她師母），她說：「因著上帝愛妳，妳活著，就是新的生命。」

戒毒這段期間，爸爸請長假，二十四小時與媽媽輪流陪伴我。期間毒癮發作，痛苦難忍，我竟拿起菜刀要砍殺母親，跑出去偷竊機車，找朋友打海洛因。悔恨羞愧的我，躲在黑暗的角落哭泣，媽媽找到我將我擁入懷裡哭著告訴我：「走，回家，別怕，媽媽永遠要妳！」

爸媽與師母帶我至醫院，每天靠打鎮定劑讓我安靜，那些日子我都昏昏沉沉，非常地虛弱，連拿一個碗的力氣都沒有，我將碗掉落在地時，我的兒子茫然地看著我，問：「阿公，媽媽怎麼變成這樣子？」爸爸跪坐哭喊：「這東西！為什麼將一個人害成這副模樣？」師母告訴爸媽：「要戒毒必須離開這裡的環境。」就在師父母的奔走下，接觸了基督教福音戒毒晨曦會。

在一個做禮拜的日子，師母叫我到臺前，請大家為我禱告，忽然有股熱流讓我感動，我跪了下來痛哭流涕，我不是孤獨的，有這麼多的人愛我、支持我，頓時有一種被釋放的感覺。

很巧地爸媽騎著機車來看我，我衝了出去，跪在爸媽面前真心誠意地認錯，爸爸蹲了下來牽起我的手說：「回來就好，我這十年來心中的大石頭，終於可以放下了。」

來到了晨曦會更堅定了我的心，我知道我已踏出了戒毒的第一步，後頭還有更艱辛的路程，告訴自己：「我要加油！」然而「法網恢恢、疏而不漏」，當年「車手」事件終於爆發了，我選擇坦然入獄服刑……

靜謐的深夜來了一場雨，在急促的嘩啦聲中醒來，「刻骨銘心」的過往，如電影般在腦海中一幕一幕浮現，深深吐了口氣，不覺中淚與窗外的雨齊下。是父母無微不至的愛，讓我從不堪回首的往事覺悟；是師母、教會弟兄姐妹的愛，時而滴答，滴答的雨滴演奏著愛與生命的交響曲，徹底地沖乾了身上的塵土，洗滌了汙穢的靈魂，迎接著我的重生。

本文原收錄於法務部出版《徵愛無敵——我的抗毒日誌》一書。感謝作者及法務部同意轉載。

戒身癮、斷心癮——荳荳的天空

楊秋娥

依靠著基督教信仰，謹記「凡事藉著禱告、感謝和祈求。」荳荳終於一步步走出吸毒的悲慘人生。

荳荳，一位開朗活潑的女性，秀麗的臉龐上有一雙會說話的大眼睛，曾經走過人間滄桑，而今，她走出吸毒的陰霾，展露自信風采，迎向光明人生！

現在的荳荳是醫院的「共同照顧服務員」，收入雖然不多，但生活很踏實；擁有正當的工作，過著正常人的生活作息；還有那一句句來自病人或家屬的感謝話語，讓她心懷感恩，更讓她感動不已！

「我以前看見警察都會躲躲藏藏的，因為吸毒的人當然怕警察查緝，而且內心很自卑，不敢正眼看人，害怕被別人發現自己吸毒。可是，現在就不同了，我連看到警察，都可以大方地跟他們打招呼。」回顧以往，荳荳忍不住感慨地說。

「在醫院工作賺的錢雖然辛苦，但心中卻是很踏實；能夠再一次抬起頭來過正常人的生活，真地非常感恩。這一切全靠著『主』的帶領與恩典。」

「我的出生並不被家人期待，在我很小的時候，母親帶著我和生父離婚，對一個二十歲出頭的女性來說，襁褓中的我是個不小的負擔。所以，我是由外公、外婆撫養長大。外婆的疼愛讓我度過了美好的童年，但老人家對我過度的寵溺，卻也養成我桀驁不馴的個性！」

「國中肄業後，就在朋友開設的卡拉OK店工作，還不到二十歲就認識了男友，當時男友沒有正當職業，整天沉迷賭桌。」荳荳說。

衷心企盼婚姻能夠帶給她一個完整的家和幸福的生活，然而，事與願違，婚後的荳荳不僅一肩挑起家計，還得面對破碎的婚姻，人生掉入痛苦不堪的深淵。

「家裡的房租、水電費、生活開銷、家具用品等等，所有的支出都靠我。我只能靠著到酒店上班賺錢養家，過著燈紅酒綠、紙醉金迷、作息不正常的生活。」提起往事，荳荳不勝唏噓。

當時的先生不僅沒有給她一個溫暖的家，甚至還用謊言欺騙她的金錢和感情。缺乏了「愛」的婚姻令荳荳心碎，她陷入絕望的痛楚中，心靈的空乏，使她自暴自棄地酗酒，過著糜爛的生活，最後還用吸毒來麻醉自己，她以為人生再也無望，甚至想以死來報復先生的無情無義。

沾染了毒品的荳荳，青春年華的燦爛歲月不再，毒癮如影隨行，重重疊疊折磨著她，日日夜夜啃噬她的心靈與身體。

「為了要應付毒癮和丈夫的賭債，我在酒店上班，數十萬的錢在手上來去，後來丈夫與我都因為吸毒相繼進入監獄。丈夫出獄後竟然帶著女友要求與我簽字離婚。」傷心欲絕的荳荳戒治出獄後無處可去，無奈的她，又和往日吸毒的朋友聯絡上，再次陷入毒癮的悲慘世界。

「到了朋友那裡，又是滿桌的毒品，朋友說：『我沒有什麼好招待妳的，隨便妳拿。』就這樣，我又再次陷入毒窟裡。而且，為了吸毒，我藉著自己的口才加入詐騙集團。當然，不久又再次因為吸毒入監服刑。」

多次因為吸毒及其他犯行入監的荳荳，身邊只剩下疼愛她的外婆還支持著她，就在她第一次入監服刑時，唯一的支持者外婆也過世了，她連外婆的最後一面也沒見到。

「我的外婆從來沒有放棄我，就算我犯了法，失去了自由，外婆依然在保護著我。『外婆，我愛您！』雖然這麼簡單的一句話，如今，我再也沒有機會告訴她，我已經失去了這個權利，我來不及告訴她，讓她知道，我是多麼地愛她！」懺悔的眼淚在眼眶裡打轉，荳荳隱忍著，不讓自己哭出聲音。

荳荳在她人生的最低潮，藉著吸毒逃避現實人生，就在第三次入監服刑時，人生開始有了轉機。在獄中，她透過監所輔導師的轉介與輔導，徹底地悔悟，發誓不再過以前的生活，立下決心，斷絕「心癮」。

「在監獄裡面可以戒除毒癮，因為『身癮』可斷，但是內心的信念告訴自己，絕對不再過那種生活，要過正常人的生活，才是最重要的，也就是要斷絕『心癮』，不再被毒吸引，不再跟任何和毒有關係的人來往。」荳荳透過牧師和同工的引導，洞察發自內心的信念，決心改變，才能帶著自己走向人生的康莊大道。

除此之外，經由臺灣更生保護會臺中分會與基督教臺中更生團契合辦的女性中途之家——「馨園」的協助，讓她在出獄的第一天就不再接觸到過去的引誘。

「我直接來到『中途之家』，剛開始時，我不服管教，認為都已經出監了，怎麼還像是在另一個監所，甚至在回去高雄探訪外公時，又與之前的朋友聯絡，碰了毒品。回來後自責地向主懺悔，堅定想改變的心。」走在悔改之路的荳荳，仍然必須面對巨大的挑戰。

「我前三個月在中途之家接受輔導，徹底斷絕和之前朋友聯絡，並在幫助下接受照顧服務員訓練課程，拿到執照後，在輔導老師的引領下，順利到醫院上班。現在，我細心照顧每個病人，看到他們就像看見自己的阿公、阿嬤。現在我的外公生了場大病，我用學到的專業技能細心照顧他，親戚對我的印象也從『歹囝仔』慢慢轉變。雖然現在母親仍不願意與我聯絡，但私下會請阿姨關心我，也請阿姨和馨園保持聯絡。」荳荳力圖上進，逐漸邁向健康的人生，她懷抱信心，要用毅力與奮鬥的勇氣，讓家人再度接納她。

「現在最大的希望就是親人都能夠原諒我，因為之前讓大家對我的行為感到心寒，一時要他們再相信我是很難的，但我會持續努力，讓我的親人都可以抬起頭驕傲地說：『這是我們家的孩子！』。」

荳荳，靠著主耶穌的引領，在牧師的關懷與同工的陪伴下，不僅戒除毒癮，更習得一技之長，過程中雖有挫折，但在上帝的信靠之中，終於成就今日的美好生活。

「我感恩牧師對我無盡的叮嚀，他總是說：『荳荳，你知道馨園有這麼多姊妹，妳變好就可以帶著她們變好；妳要變壞了，她們也跟著變壞呀！妳千萬不能讓愛你的人失望！』」荳荳深深感恩馨園的一切，她知道自己責任重大，所以，現在一有時間，她就會回到馨園和所有姊妹、同工、牧師們，一起享受大家庭的溫暖。

「上帝要拯救的是破的器皿，好的器皿是不需要被拯救的。我就像一個曾經破掉的器皿，被上帝拯救回來。現在，我也要發揮力量去幫助別人，如果我曾經走錯路的故事，可以給在吸毒邊緣的人一些些啟示，我都要感恩主耶穌的帶領。」

荳荳期盼所有的人都能堅定決心拒毒、反毒，「毒絕對不能碰，不要以為你可以玩一玩，只要一玩就會被毒害了！」她分享自己的戒毒經驗，也提供受戒治人一條成功戒毒的道路，更鼓勵所有的人，她只是一個女性都可以戒毒成功，相信所有堂堂男子漢都可以戰勝自己、驅除「心癮」，成功戒除毒癮！

點亮心燈——廖坤永棄暗投明

陳世慧

週日清晨，放著好好的覺不睡，廖坤永一早就從位在臺中市南屯區的家裡，騎了半小時機車，來到西屯區的慈濟東大園區環保站。幾位上了年紀的志工看到他，就像看到自己的孩子一樣，揮手朝他叫了聲：「坤永仔，凹早！」

外表體格壯碩的廖坤永，這時露出靦腆的笑容，一股暖意卻油然而生，伴隨著他一整天。他先是搬紙箱、挪東西，整理站內環境，再瞥見一旁的牆面上，倚著一幅巨型的廢棄廣告看板後，不等他人開口，他便跑去拿了螺絲起子，把背後的燈管一一卸下。

「有時它們只是『秀逗』了，丟掉太可惜！」廖坤永把燈管卸下後，並沒有馬上丟棄。他說每一支燈管在被宣布作廢前，都該先測試一下。當老舊燈管被安上插座，半餉卻不見發亮時，姑且先擱置一邊，再測試下一支；同樣的動作不斷重複，「最後你會意外發現，十支被人丟掉的燈管裡，幾乎有九支都還可以再用！」廖坤永略顯得意地說。

事實上，廖坤永的前半生，就好比那燈管。雖然父母都是小工，但為了滿足這個既是長子也是獨子的孩子，從小只要他開口，沒有什麼是要不到的。國中畢業時他羨慕別人騎機車，父母就買了一臺偉士牌給他；想學人家打爵士鼓，就算家裡米缸快見底，父母親也還是湊錢，買了一組七、八萬塊的鼓給他。

儘管父母傾其所有，卻無法阻止他步入歧途。十八歲那年，廖坤永北上工作，因工傷失去兩隻手指而遭人訕笑，他為此選擇回到雲林老家，投靠一個大哥，從此過著打架滋事的生活。

二十六歲那年，廖坤永自己也成了另一尾大哥。八大行業裡，什麼卡拉ＯＫ、電動玩具、酒店、人頭仲介等生意，無不涉足。但就在民國七十八年間，毒品烏雲首次籠罩臺灣，因為怕被兄弟說他「落伍」，廖坤永竟想都沒想，一頭就栽了進去。

「當時道上大家都會比較，看誰吃得越重、越貴，就代表『行情』越好。」廖坤永回首當年扭曲的價值觀，懊悔自己的糊塗。為了顯示自己的「大尾」，雖然海洛因一兩就要七、八萬塊，他還是眼睛眨都不眨，錢砸了就買。不只如此，毒品一開始只是侵蝕他的身體，讓他沒有毒就無法入睡、無法起床，完全為毒品所控制後，因為無法工作，行情跌落谷底，口袋空空的他，開始把矛頭指向家人。

「我恨毒品，更恨那些吸毒、賣毒的人。」廖春美是廖坤永的大妹，本身從事教職的她，回想那段時光，只覺得一切是一場她完全不想重來的惡夢。她說，為了吸毒，廖坤永前後進出監獄六次。

「只要一沒錢，他就回家搶、回家要。如果不給，除了大聲咆哮、踹門、摔東西外，為了搶機車去變賣，我媽車子都發動了，他都可以追上去，硬把她扯下來。」

廖春美說，讓她最痛心的，還是毒品連哥哥的靈魂也給吞噬了。在廖坤永第六次入獄時，一把年紀仍在做清潔工的媽媽，為了買車票去屏東探監，到處跟人家借錢，「可是他回應的方式是什麼？竟是在我爸的喪禮上，搶走所有的奠儀！」

最絕望的時候，廖春美一度跑去替哥哥算命；只是一般人問的是家人的財富、事業、健康，她問的，卻是哥哥的死期！至此，為了徹底跟他脫離關係，她甚至和妹妹說服媽媽，打算趁廖坤永出獄前，搬到一個他找不到的地方；然而想是菩薩垂憐，不忍一個心碎的母親繼續受苦，就在廖坤永眾叛親離時，一個廖春美日後逢人便說的「奇蹟」，竟活生生地出現在他們飽受煎熬的生命中！

一如廖春美所說，毒品侵蝕人的身體，更吞噬人的靈魂，但最令旁人難以理解的是，在廖坤永的例子中，連他本人都承認，即使是第六度回籠後獲釋，當牢裡的「同學」問他以後還碰不碰毒時，他的答案竟然是：「絕對碰！」

但就在同一時間，悔改的契機隱隱乍現。臨出獄前，有次他看到另一個「同學」捧讀家書卻流下男兒淚，好奇的他一把把信搶過來，看著看著，自己竟然也有想哭的衝動。

「我『同學』的妹妹跟他說，為了替他籌錢買毒品，她下海陪酒的那段時間，因為長時間熬夜、拚酒，身體都壞到不天天吃藥不行。」這封家書，如當頭棒喝，讓廖坤永聯想到自己從小一起長大的兩個妹妹；而就那麼湊巧，幾天後，媽媽也來探監了。當媽媽離去時，廖坤永望著她佝僂的背影，發現一直以來都那麼愛自己的老人家也老了，「吸毒那麼久以來，我頭一次想是不是該戒毒了。」廖坤永說。

或許就是這絲天良未泯，不同於之前道上兄弟間雜染的義氣，廖坤永這輩子真正的貴人，開始要上場了。先是以前跟媽媽一起做清潔工的周素娥阿姨，因為不忍心看到廖坤永的媽媽為他傷心，不但去探監，回到家後還寄信、寄書、寄錢給他，最關鍵的是，本身是慈濟環保志工的她，也要廖坤永出獄後跟她一樣，到東大園區做環保。

「只是我去是去了，卻踩了三天寶特瓶後，就覺得好無聊。」廖坤永不好意思地說，當時他背著眾人，偷偷跑到一棵樹下說是乘涼，心裡卻打算著怎樣才能落跑。但就在那時候，他的另一個貴人，或許也是此生最重要的貴人——東大園區環保站的合心幹事林儼，剛好從他身旁走過。「我看到他的樣子，就知道他在想什麼！」林儼笑著回憶他們頭一次見面的景象。

林儼說，事實上，她並沒有什麼超能力。相反的，她之所以能進入廖坤永的內心世界，對他發生影響力，完全基於在她娘家的八口人中，就有三個人染毒。「那是我這輩子最大的缺憾，因為救不了自己的家人，我希望能透過救別人，累積福報，好讓我哥哥、弟弟和弟媳，有一天也能遇見屬於他們的貴人。」

林儷對廖坤永的「愛的改造」，綿密到一般人難以想像。雖然自己也有孫子要照顧，有工作要做，她卻再忙也要來環保站，關心廖坤永的狀況。不只如此，怕廖坤永只做志工，生活上不足以自立，她還透過關係，幫他找了一份貨車司機的工作。

「林師姊對我哥來說，就像第二個媽媽。」在廖坤永於去年成功戒毒後，妹妹廖春美與他的關係，也逐漸和緩。「去年我們全家幾十年來，難得頭一次一起出遊，但沿途不管走到哪兒，都一直看到哥哥在接電話。」廖春美越想越不放心，終於忍不住開口問，「結果，原來每一通電話，都是林儷師姊打來關心的！」說到這裡，廖春美的笑中泛著淚光，「救一個吸毒者就是救一個家，我們全家上上下下，真的都很感激她。」

但按照林儼所說的，他們該感激的，其實不是她。她說，戒毒不難，只要熬過前三天毒癮發作時的種種徵狀，例如全身痠痛、冷顫、流淚、流鼻水等，三天過後，情況就會好轉。但為什麼這麼多人，總是戒了後又犯？林儼表示，「那是因為在一個人決心戒毒後，過去的壞朋友，總是再找上門。」

林儼語重心長地說，所以該感謝的是環保站的其他志工，「如果不是他們對坤永仔的接納，讓他感受到滿滿的關懷，我一個人，沒辦法讓他待下來。」

包括廖坤永自己也一再感恩地說：「我們這種出來混的，在別人眼裡是俎俎人、邊緣人，誰看了都怕。但在環保站裡，大家卻把我當家人、當自己的孩子，不但不介意我的過去，還百般地疼愛。」曾經逞兇鬥狠的廖坤永，剛強的心在愛中變柔軟，「對於過去我沒有藉口，一切，都是自己太匪類了。」

這天，在林儼的請託下，廖坤永開著環保車，要到公益路上的一戶人家回收一張廢棄神桌。適逢交通尖峰時段，沿途窒礙難行，但只見駕駛座上的廖坤永，非但一點怒意都沒有，遇到有人超車，還讓路令其先行。

問他以前就這麼遵守行車禮儀嗎？廖坤永羞赧地噗哧一笑，「怎麼可能！」他說要是以前，「刀子、手槍，早就亮出來了！」但做了快一年環保志工，每天受到好榜樣的薰染，「現在我拿的都是螺絲起子和榔頭，用來拆卸回收資源啦！」

解決廢棄神桌的事後，重回東大園區環保站，廖坤永這天的環保工作，算是告一段落，但他表示，隔天除了例行在上班前，先來做個兩小時的「早班」環保外，「晚上林儼師姊還要我參加讀書會，和大家一起讀《慈悲三昧水懺》。」

所謂水懺，是佛教懺悔法門中的一種，藉由對過往的深切悔過，提起慚愧心的同時，也堅定改過遷善的決心。於是就在隔晚，在東大園區，朗朗誦經聲中，廖坤永也隨眾人逐頁翻閱經文；而當導讀人解釋「唯有懺悔力，乃能得除滅」，意為「只有懺悔過去所造諸惡業，人生才得以迎向新生」時，廖坤永的眼光凝視經文，久久未能移去。

一如廖坤永所說，「秀逗」的燈管，不是壞掉，只是欠修理；修好的燈管仍能大放光明，而迷途知返的人，正因他曾走過黑暗的幽谷，才能提燈照亮許多仍處於黑暗的迷途羔羊。

破浪而出——蔡天勝自度度人

明含

「想到過去的為非作歹，心裡就非常不安。每天不是打人，就是被人打。」

蔡天勝，大愛電視臺長情劇展《破浪而出》的本尊，有著跟劇中男主角伊正神似度高達百分之八十的帥氣外表，真實人生的際遇，更充滿了戲劇化。

年輕時的他，荒誕不經，換過很多工作，不是嫌薪水低，就是嫌工作時間長，最後勉強呆在阿姨家開的糖果店幫忙。

但他自許是做大事業的人，不想一輩子被黏涕涕的糖果黏住，儘管店裡趕著出貨，他還是要偷空外出抽菸，甚至偷阿姨店裡的錢去簽賭，妄想要一夕翻身。

阿嬤總是熬夜守著他回家，熱飯菜之餘，不忘殷殷叮嚀。但他依然故我，一賭輸就摔土地公洩憤，一賭贏就買韓國人參孝敬阿嬤。

玩久了終究也會累，賭友免費提供「好東西」提神，他當然知道這是毒品。

「我，蔡天勝不是會被這種東西影響的人！」

自以為是的他，吸毒之後可以連賭三天三夜都不會累，為了買毒品，從借錢到偷錢，最後更賣起毒品了。儘管分裝毒品的手頻頻顫抖，他依然周旋在一個個「狐狸精」的身邊，總得送貨賺錢啊！

警察三不五時上門盤查，他無時無刻不擔心被關，終於還是被便衣警察逮獲，判了無期徒刑。阿嬤捶手頓足，嚎啕大哭；父母煩惱到頭髮變白；母親即使坐在輪椅上，也要跟著父親去監獄探監，卻挽不回他無期徒刑的命運。

死寂的監獄裡，狹窄的空間躺著四個人，一翻身就會壓到別人。漫漫長日，活著比死了還難熬，監獄主管的巡視成了日子裡最大的期待。

主管看穿他的百般無聊，於是丟給他《了凡四訓》等佛書，還有《慈濟月刊》跟《靜思語》。

「我為什麼要讀書？」

「就是不知該做什麼，才要讀書！」

蔡天勝不以為然，直到有一夜夢見母親坐輪椅來探監，出了大車禍，嚇出一身冷汗，連夜拿出佛書虔誠誦讀，想為母親祈福，竟自此讀出了況味。

「別人抄心經，我抄靜思語！」

佛心一起，抄靜思語成了每日必做的功課，他發願若能減刑出獄，一定要多多行善。並且開始悲憫蠢動含靈，他竟在監獄地板養起螞蟻來了！

怪異的舉止被獄友譏諷，起了肢體衝突，獄友悻悻然地反嘲他抄經不修心，他放下身段，誠心道歉，仍不被接受，只能默默地以更具體的行動證明他蔡天勝真的轉性了。

他常常幫獄友洗內褲，憑勞力換取生活所需，因此被嘲笑，甚至有人提醒他幫人洗內褲會被「帶衰」，他也不為所動。更在獄中吃素消業障，用餐後還虔誠合十結齋，大家嘖嘖稱奇。

因為吃素的因緣，認識了同為吃素的獄友林朝清。林朝清好意提醒他：「你在這個地方不要太軟弱，否則會被人看不起。」但蔡天勝自有定見。

法官看出他真心改變，無期徒刑改判八年有期徒刑，踏出監獄大門的他，既高興又驚惶，畢竟離開社會太久了，不知如何適應。

利用他在獄中學到的烘培專長，他順利在麵包店找到了工作，總算跨出了好的第一步。

主動來到了慈濟臺中分會，想實現行善的心願，卻在外面繞了三圈都不敢進去。他怯怯地提醒志工楊秋霞，自己有吸毒被關的前科，不知有沒有行善的機會？楊秋霞一聽，哈哈大笑：「這算什麼，我以前還開過酒店呢！」

知道慈濟不會排拒他，他放下了心中的罣礙，但昔日的毒友，聽聞他已出獄，紛紛前來借錢，或邀約他再去「輕鬆一下」，他堅定地告訴他們：「我要走跟以前不一樣的路！」

毒友不信，拉扯之間扯斷了他手上的慈濟佛珠，蔡天勝心痛佛珠撒了一地，賭友竟說：「便宜的東西買就有了！」甚至惡言恐嚇：「你不去可以，指頭留下！」

「如果留下指頭可以消你的氣，你就拿去吧！菩薩不會原諒我把錢借給你！」

賭友悻然離去，蔡天勝撿起了佛珠，完成慈濟委員培訓，想要多做一些好事，主動跟志工到綠島監獄輔導吸毒者，或寫信鼓勵獄友，責任更重了。後來他更與甫出獄的林朝清、袁志忠等人，跟人合股開起素食餐館，致力協助更生人重生。

很多慈濟法親都上門光顧，素食餐館生意很好，卻因帳目不清，分不到什麼利潤，股東之間時起紛爭，想查帳卻反被譏諷：

「被關的人還想查帳？你怕我們，我們才怕你呢！莫名其妙！」

「流氓就是流氓啦！學人家做什麼慈濟，學的都是假的啦！」

蔡天勝聞言，憤而摔盤洩憤，心中的激憤久久難平，一邊撿起碎片，一邊流淚。

「佛珠幫我拿去還給上人！」

林朝清拿下手上的佛珠，跟袁志忠兩人商議著要用暴力解決，被蔡天勝攔阻了下來：「做慈濟這麼久了，這口氣如果吞不下來，前面做的都白費了！」

終於在法親的協助下，三人戰勝心中的怨恨，決定重起爐灶，開了另一家素食店，在林朝清的家裡反覆研究菜色，想抓出最好的調味比例，更將餐館布置成慈濟人文閱覽中心，將事業與志業結合，幫助更多更生人重生。

餐館雖小，但生意依然很好，回收重複使用的菜單上，滿布立可白塗改的痕跡，是他們落實環保的理念。

臺中市五義街上，蔡天勝跟幾個更生人不停忙碌著，臉上洋溢的，是他們重生後的樂天知足。

十方素食度十方

明含

這已經是林朝清第三次出獄了，他在街頭毫無目的地閒晃著，未來是一片茫然。

因為吸毒，他被關了三次，耗掉八年多的青春歲月。不識字的母親，每週走路到監獄探監，央求別人代寫會客單，只為拿錢給他花用。這些辛苦，直到他陪伴其他更生人探監，才知母親的偉大。

回想年輕時的自己，天真地以為吸毒才夠資格稱老大，連父親因肺癌往生時，他還在懵懂吸毒。只要毒癮一發作，做了什麼傷天害理的事都不自知。

從吸毒到注射毒品，直到血管硬化，不僅打針時找不到血管，連睡覺時床頭沒放毒品都沒安全感，深怕半夜毒癮發作時找不到解藥，因此再遠也要連夜買到才能安心入睡。

為了買毒品，他搶母親的首飾；吸食了過量的毒品，他三次休克倒在路邊被人送去醫院；儘管母親常常坐在床頭哭喊：「我到底做了什麼缺德事，怎會生出這樣的孩子？」但怕他再出意外，她陪著兒子出門去買毒，而林朝清卻讓母親在路邊枯等二、三小時，吸到自己過足了毒癮，才出來要母親付錢，把母親當成提款機。

難怪當時親友見到他便閃開，更有人不屑地說：「你唯一孝順父母的方法，就是快點死，別讓父母再花錢！」

母親為了幫助兒子戒毒，在山上借了一個工寮，帶林朝清去戒毒。沒想到林朝清竟然夾帶毒品上山吸食，兩三天後毒品用完，難耐毒癮發作，連夜騎機車下山，把母親丟在沒水沒電的工寮痛心啼哭。

「你吸我也吸！」

老婆氣他吸毒，一賭氣也跟著吸起毒來，導致兒子一出娘胎就全身發抖、手腳亂抓，儼然是林朝清夫妻吸毒後的翻版，醫生馬上猜出是父母吸毒。當時的他，正在監獄服刑。

「我好想我的老婆、孩子。」

但出獄後的他，屢次在稚子面前吸毒甚至休克的醜態，總是嚇哭了孩子，老婆怕他教壞了孩子，選擇帶著孩子傷心離去。

因為吸毒，林朝清妻離子散，在兄弟姐妹之間抬不起頭來。但意志力與信心都不足的他，遇到挫折總想吸毒來逃避，反覆進出監獄成了他揮之不去的夢魘。

一日經過一家麵包店，突然店裡衝出一個身影，叫住了他，竟是昔日獄友蔡天勝！

林朝清在第二次服刑時認識蔡天勝，當年蔡告訴他出獄後要做慈濟志工，洗心革面，重新做人，當時他心中存疑，沒想到出獄後的蔡天勝，真的已在接受慈濟委員的培訓！

他帶蔡天勝到家裡吃飯，母親以為又是一條毒蟲，冷漠以對，不理不睬。一聽到蔡天勝提起慈濟，馬上熱情歡迎，想不到林朝清也有做慈濟的朋友，欣喜兒子有救了，經常陪著兒子去慈濟當志工！

想想自己多次戒毒都失敗，不妨跟著蔡天勝，找出人生的轉捩點吧，於是陸續參加了慈濟的環保與助念。但終究敵不過毒癮發作，他在道場禮拜法華經，出了道場卻又偷偷吸毒，讓蔡天勝不免對他失望。

直到蔡天勝接受證嚴法師授證時，上臺對大家現身說法，並邀請林朝清一起前去接受上人的祝福。曾經被關在監獄的吸毒者，竟然有如此殊勝的因緣，能當面得到證嚴法師的勉勵，讓他受寵若驚，因此前一天才吸過毒的他，當場痛哭流涕，自此遠離毒品，得到解脫，像是奇蹟一場。

做了慈濟志工的林朝清，免不了遇到昔日的毒友，每次有人拿出毒品誘惑時，他總趕快丟到馬桶沖掉。「想嘗試就已種下惡因了，不好的就不要想、不要碰，『想』就已中了魔！」

心想監獄裡的教化課程，只會教人拜經、信教，都一樣無聊至極，獄友都巴不得臺上的講師快走，大家只關心出獄後如何謀生，不相信持咒念經真能得度。因此他跟蔡天勝合夥開了一家素食小餐館，想以過來人的身分，協助更生人重生，更能貼近他們的心。

「以前怕遇到吸毒的朋友，怕自己又會被魔鬼帶走；現在不怕，會帶他去慈濟做環保。」

更生人的習性難除，輔導的過程中衝突吵架難免，每當情緒不好時，林朝清先學會「放下」，讓他們把心事發洩出來，再跟蔡天勝慢慢開導。

更生人之一的彭隆建，出獄後姊弟花了三萬多元，讓他上高價的潛能開發課程，卻依然故我，別人為妻兒奔忙，自己仍然終日只為毒品奔波，吸了毒可以二、三天沒睡，但一睡就是二、三天，曾經進出監獄七、八次。因此出獄後父親賭氣不讓他遷入戶籍，幸好林朝清跟蔡天勝接納了他，給了他安身之地，也學得一技之長。

沒想到有心行善的他，卻被朋友牽累涉及竊盜，他向警察求情時，不小心暴露了自己慈濟志工的身分，卻被記者拿來大肆炒作，讓慈濟人的形象蒙羞。彭隆建痛哭流涕，心情鬱卒之餘，又藉毒品來麻醉自己，再度入獄。

林朝清跟蔡天勝勉勵他把「服刑當修行」，並承諾每個月都會去探監，猶如自己的家人不離不棄，長期陪伴，終於徹底感化了他，痛定思痛，勤讀佛書，欣見佛法入心。

如今彭隆建的父親已接納了他，雖然嘴裡不明說，但在慈濟人上門時，會準備很多素食招待法親，欣慰之情，不言可喻。

十方素食，位於殯儀館附近，對林朝清等人而言，這是一條真正「往『生』的路」，許多更生人在此找到了新生命。

上門光顧的食客們，畏懼他們吸毒前科的固然有，但所幸抱著鼓勵態度的人較多。

如今，林朝清的親友都已重新接納他了，母親每天笑瞇瞇地在素食餐館裡幫忙張羅，妻子也默許兒子回他店裡幫忙，人生再也沒什麼東西可以誘惑他放棄這些簡單的幸福了。

逆子回頭

明含

「一個吸毒的人，如果不能下定決心戒毒，那麼進出監獄就像回家一樣，想要重新做人，也只不過是說說而已。」回首前塵，黃瑞芳如此喃喃自語。

從小時候被村裡的小混混追打，直到長大後，他找來惡友當靠山，持械追打回去，十六歲的他已開始販毒，氣壞了父身，傷透了母心。

「我若有一口氣在，就不准你教訓我的孫子！」

黃瑞芳的阿嬤溺愛孫子，儘管黃瑞芳大過不斷，為了制止兒媳教訓愛孫，甚至氣到心臟病發作，從此黃瑞芳更像是得到了御賜的免死金牌，再也無視父母的管教了。

不想種田又不愛讀書的他，跟著哥哥到臺北工作。學好三冬，學歹三天，在友伴阿和連連的誘惑下，黃瑞芳到賭場把風、吸毒，還被阿和出賣，送進了監獄，於是他開始周遊在全臺灣各監獄「留學」。

人生有很多選擇的機會，在善與惡之間，他總是選錯了邊。

他在監獄時，每天午休跟不同年齡的犯人「共休」，拿著鋼杯泡茶聊天，只記得相互提醒監獄主管在時不能泡茶，要給主管一點面子，這就是弟兄們的「尊師重道」。

老獄友欺負新人，蠻橫地來搶茶葉下馬威，他毫不客氣地揮拳制止，徹底牢記黑道的鐵律：「不想被別人欺負，就要讓對方先怕你！」這一拳，讓他又被關進了獨居房反省。

第一次入獄時，在嘉義監獄中關了三年，只記得父母第一次到監獄來探監時，母親含淚勸戒他：「你在裡面不必風吹日曬，但別忘了外面的家人正在為你受風受寒。」

出獄當天就接到兵單，家人以為在嚴格的部隊中，家裡從此可以安寧。沒想到黃瑞芳當兵放假時，在街上巧遇陷害他入獄的阿和，阿和熱情邀他喝酒以示謝罪，這一喝，連續數天醉茫茫，還未回家見家人，就已誤了收假回部隊的時間。怕回部隊被關禁閉，黃瑞芳又在阿和的慫恿下逃兵，再度被通緝，四處潛逃不敢回家。直到聽聞阿嬤往生的噩耗，心想不能見阿嬤最後一面，至少也要回家送她一程，於是摸黑潛回家裡奔喪。

沒想到父親狠心，連夜趕走他，不想他在喪禮上被逮，丟人現眼。

「你若是孝順，就讓阿嬤安心走！」

黃瑞芳拿起阿嬤生前縫衣服的針包，又瞥見阿嬤仍保留著黃瑞芳童年時教她老人家寫字的紙頁，更是悲從中來，痛哭失聲！

「媽，我會改！」

「你未開口，我就知道你會講這句話！」

母親對他失望透頂，但每當黃瑞芳毒癮發作時，哀求母親把他的雙手綁起來，她又憂心地徹夜守在床邊照顧，頭髮已斑白的母親，一輩子都在為他流淚啊！

在花蓮監獄服刑時，慈濟志工顏惠美帶著八十幾歲的矽谷阿嬤——林王秀琴老太太，遠從美國前來鼓勵大家，黃瑞芳彷彿見到自己慈祥的阿嬤復活重生，激動不已！心想出獄後也要做慈濟志工，再也不能讓阿嬤、父母失望了！

民國八十七年，黃瑞芳終於出獄了，他撕去了獄友的聯絡資料，直接到慈濟醫院社服室找顏惠美師姊，表示他想皈依上人，從此以後要當好人、做好事。生平第一次，他終於跨出正確的第一步了！

翌年，九二一大地震，雖然黃瑞芳沒做過好事，卻想為災區做事，跟著慈濟到災區建大愛屋、重建學校。

重建，需要拆掉舊屋，猶如他更生的歷程一般，必須革除所有的惡習，再活出全新的自己，他慢慢體悟出個中三昧。而黃瑞芳認真的付出，也得到慈濟志工陳金海的賞識。

無奈隨著重建工程結束，他自嘲當志工也要失業了，吸毒入獄的前科，讓他應徵工作屢屢受挫，只能回鄉下去陪伴老母親。

一日竟接獲陳金海的電話，邀他住進蘆洲的家，要協助他找工作，連家中的鑰匙都放心交給他，無畏他是個有前科的吸毒者，這讓他感動莫名，流淚承諾不會再讓任何人失望。

陳金海不刻意隱瞞他是更生人的身分，代他找到了工作，在工廠裡開環保車。當他把領到的薪水交給母親時，母親欣喜落淚，從不敢奢望有一天能拿到他賺的錢。

黃瑞芳改頭換面了，但他還有一個心願，那就是好想跟陳金海一樣，穿上慈濟慈誠隊的西裝，陳金海勉勵他：「人在做，天在看，只要認真做就沒錯了！」

他聽進心裡了，積極參加環保，到養老院探視老人……終於如願加入慈濟的慈誠隊培訓，學著做一個聞聲救苦的人間菩薩。

受證當天，他穿著西裝一路飛奔回去鄉下給母親看，村人讚歎著黃瑞芳成了村裡的模範。母親喜極而泣，一路哭著走回家，告訴他：「以前我都只能低著頭，躲在家裡哭；現在，我終於揚眉吐氣了！」

逆子，終於回頭；回頭，終於是岸。

國家圖書館出版品預行編目資料

無毒有我：遠離毒禍，天寬地闊/經典雜誌編著— 初版 — 臺北市：經典雜誌，財團法人慈濟傳播人文志業基金會，2012.02

240面；15*21公分

ISBN：978-986-6292-26-2（平裝）

1.反毒　2.毒品

548.82　　100027335

無毒有我：遠離毒禍，天寬地闊

編 著 者／經典雜誌
發 行 人／王端正
總 編 輯／王志宏
編　　輯／朱致賢、陳美玲（慈濟北區教師聯誼會）、張素卿（慈濟北區教師聯誼會）
美術指導／邱金俊
美術編輯／黃昭寧、邊意凡（實習）、涂道懿（實習）
校　　對／何瑞昭（志工）
出 版 者／經典雜誌
　　　　　財團法人慈濟傳播人文志業基金會
地　　址／台北市北投區立德路二號
電　　話／02-2898-9991
劃撥帳號／19924552
戶　　名／經典雜誌
製版印刷／禹利電子分色有限公司
經 銷 商／聯合發行股份有限公司
地　　址／新北市新店區寶橋路235巷6弄6號2樓
電　　話／02-2917-8022
出版日期／2012年02月初版
　　　　　2012年03月二刷
定　　價／新台幣500元（兩冊不分售）

感謝法務部、教育部、慈濟大學、慈濟北區教師聯誼會、台北市林仲鋆文教基金會協助本書編輯、出版工作

ISBN 978-986-6292-26-2（平裝）
Printed in Taiwan